［明］湯顯祖 著
徐朔方 箋校

牡丹亭

重慶大學出版社

目録

【箋】

牡丹亭，全稱爲牡丹亭還魂記，作者題辭自署「萬曆戊戌秋」，即萬曆二十六年（一五九八），作者離遂昌知縣任歸里後。第一齣標目。【蝶戀花】云「忙處拋人閒處住」。忙處指官場，閒處謂林下，其意甚明。或云閒處指遂昌知縣，然則若士自徐聞典史添注量移遂昌。添注官掛名不視事，固不得以爲忙處也。

牡丹亭成於遂昌説，難以自圓其理。

一、或以若士尺牘答習之云：「平昌（遂昌）令得意處別自有在。第借俸著書，亦自不惡。」古人以小説戲曲爲小道，不登大雅之堂，不入著作之列。作者何得于人前以牡丹亭爲著作耶？

二、梅鼎祚鹿裘石室集卷八致若士信云：「近傳新著業已殺青，許八丈可爲置郵，何不以一部乞我？」鼎祚鄉人許國忠時任處州府同知。殺青原指脱稿，然據其下句實指出版。此信作於萬曆二十五年。三年後，若士答張夢澤猶云：「餘若牡丹魂、南柯夢繕寫而上」，至此時猶未付梓也。

三、或以賀貽孫激書卷二滌習爲據，斷言黄君輔萬曆二十八年秋試告捷，得益于萬曆二十五年若士牡丹亭填詞之啓發。原文生動有致，然小説家言固無與于考證。據吉安府志，萬曆二十

二、二十五、二十八年三次秋試，無黄姓人中式，而黄君輔是副貢，固未嘗秋試中舉也。

此記據杜麗娘慕色還魂話本改編，見何大掄重刻增補燕居筆記卷九。亦有簡稱此記爲還魂記者，以其與另一南戲同名，以不用爲宜。

本書以明懷德堂重鐫繡像牡丹亭還魂記爲底本。鄭振鐸劫中得書記云：「（石林居士）本版片，至明清間似猶在人間。歙縣朱元鎮嘗得版，重加刷印……惟去石林居士序，並于題下多『歙縣玉亭朱元鎮校』數字爲異耳。」清光緒丙戌（十二年，一八八六）上海同文書局曾據以石印，但削去其插圖中刻工署名。原書插圖作者端甫、吉甫、鳴岐、一鳳、出黄等，率爲新安虬村黄氏刻工。牡丹亭他本甚多，一九五七年爲作校注，曾一一比勘。校後始知皆不足校，蓋異文都出於有意竄改，不屬于傳統意義之校閲範圍之内。編者對此劇之校閲費力最多而着墨最少，實由此故。

本劇之校閲不似其它四劇，將各傳本一視同仁以作比勘，而以朱元鎮校本爲準。其它各本皆有竄改，唯此本未發現此種痕跡。

清人校訂牡丹亭以鈕少雅之格正本、葉堂之四夢曲譜爲代表。一有不合，即以原題曲牌名爲非，另爲命名。如第五齣【浣溪沙】（原作【浣沙溪】，疑是刊誤）採用該曲牌前四句，不必强改爲【搗練子】。又如第八齣、第四十二齣【夜遊朝】，當爲【夜遊湖】之訛。據九宫正始，此誤由來已久，不必改爲【夜行船】（按，【夜遊湖】、【夜行船】句格同）。又如第十二齣【瑣寒窗】，南詞新譜卷一二上云：「（【瑣窗寒】）今作【瑣寒窗】，非也。」可見當時二名通用，曲家雖以爲非，然已積重難返，不得遽爾斥之也。

曲牌始起于民間小調。其得名之由來，其句格之演變，今已不可詳考。湯氏答孫俟居（如法）評沈璟曲譜云：「且所引腔證，不云未知出何調犯何調，則云又一體又一體。彼所引曲未滿十，然已如是，復何能縱觀而定其字句音韻耶。」未盡悉一曲牌在異地異時之種種變格，而欲繩之以一律。此之謂曲律之絶對化。湯氏此評可謂一清涼劑。民間曲調知之不能盡，故湯氏牡丹亭第十八齣以【金絡索】及【金索掛梧桐】各二曲並列，不知其實爲一曲二名。固不必爲賢者諱也。

清人每見句格一有不合，即創爲犯調。犯調原爲戲曲音樂發展之正常現象。其流弊所至，以一句爲一曲牌之零摘，四犯五犯而不止，勢必導至曲牌體之否定。本劇之校訂，一反鈕少雅、葉堂之師心自用，寧守舊而不妄出新意，如第三齣之【玉山頽】，寧取香囊記之舊名，而不欲如清人之改題【玉山供】也。

第一齣【蝶戀花】叙作者緣起，【漢宫春】爲内容提要。懷德堂本【蝶戀花】爲大字，【漢宫春】以小字附于其後，或有特重作者自叙之微意在焉，一仍其舊，不加改動。

第一齣　標目

【蝶戀花】〔末上〕忙處拋人閒處住，百計思量，没箇爲歡處。白日消磨腸斷句，世間只有情難訴。　玉茗堂前朝復暮，紅燭迎人，俊得江山助。但是相思莫相負，牡丹亭上三生路。

【漢宮春】杜寶黄堂，生麗娘小姐，愛踏春陽。感夢書生折柳，竟爲情傷。寫真留記，葬梅花道院淒涼。三年上，有夢梅柳子，於此赴高唐。　果爾回生定配，赴臨安取試，寇起淮揚。正把杜公圍困，小姐驚惶。教柳郎行探，返遭疑激惱平章。風流況，施行正苦，報中狀元郎。

杜麗娘夢寫丹青記，陳教授説下梨花槍。
柳秀才偷載回生女，杜平章刁打狀元郎。

【真珠簾】〔生上〕河東舊族、柳氏名門最，論星宿連張帶鬼。幾葉到寒儒，受雨打風吹。謾説書中能富貴，顔如玉、和黄金那裏？貧薄把人灰，且養就這浩然之氣。

【鷓鴣天】刮盡鯨鰲背上霜，寒儒偏喜住炎方。憑依造化三分福，紹接詩書一脈香。能鑿壁，會懸粱，偷天妙手繡文章。必須砍①得蟾宫桂，始信人間玉斧長。小生姓柳，名夢梅，表字春卿。原係唐朝柳州司馬柳宗元之後，留家嶺南。父親朝散之職，母親縣君之封。〔嘆介〕所恨俺自小孤單，生事微渺。喜的是今日成人長大，二十過頭；志②慧聰明，三場得手。只恨未遭時勢，不免飢寒。賴有始祖柳州公帶下郭橐駝，柳州衙舍，栽接花果。橐駝遺下一個跎孫，也跟隨我廣州種樹，相依過活。雖然如此，不是男兒結果之場。每日情思昏昏，忽然半月之前，做下一夢。夢到一園，梅花樹下，立着個美人。不長不短，如送如迎。説道：柳生，柳生，遇俺方有姻緣之分，發跡之期。因此改名夢梅，春卿爲字。正是：夢短夢長俱是夢，年來年去是何年？

【九迴腸】〔解三醒〕雖則俺改名换字，俏魂兒未卜先知？定佳期盼煞蟾宫桂，柳夢梅不賣查梨。還則怕嫦娥妬色花頹氣，等的俺梅子酸心柳皺眉，渾如醉。〔三學士〕

無螢鑿遍了鄰家壁，甚東墻不許人窺。有一日春光暗度黄金柳，雪意冲開了白玉梅。

〔急三鎗〕那時節走馬在，章臺内，絲兒翠，籠定個百花魁。

雖然這般説，有個朋友韓子才，是韓昌黎之後，寄居趙佗王臺。他雖是香火秀才，卻有些談吐，不免隨喜一會。

門前梅柳爛春暉，張窈窕　夢見君王覺後疑。王昌齡

心似百花開未得，曹　松　托身須上萬年枝。③韓　偓

【校】

① 砍，朱墨本作「斫」。② 志，清暉閣本作「智」。③ 下場詩均爲集唐。間有略作改動以合曲意者，不備注。

第三齣　訓　女

【滿庭芳】〔外杜太守上〕西蜀名儒，南安太守，幾番廊廟江湖。紫袍金帶，功業未全無。華髮不堪回首，意抽簪萬里橋西。還只怕君恩未許，五馬欲踟躕。

一生名宦守南安，莫作尋常太守看。到來只飲官中水，歸去惟看屋外山。自家南安太守杜寶，表字子充。乃唐朝杜子美之後，流落巴蜀，年過五旬。想廿歲登科，三年出守。清名惠政，播在人間。內有夫人甄氏，乃魏朝甄皇后嫡派。此家峨嵋山，見①世出賢德夫人。單生小女，才貌端妍，喚名麗娘，未議婚配。看起自來淑女，無不知書。今日政有餘閒，不免請出夫人，商議此事。正是：中郎學富單傳女，伯道官貧更少兒。

【繞池遊】②〔老旦上〕甄妃洛浦，嫡派來西蜀，封大郡南安杜母。

〔見介〕〔外〕老拜名邦無甚德，〔老旦〕妾沾封誥有何功？〔外〕春來③閨閣閒多少，〔老旦〕也長向花陰課女工。〔外〕女工一事，女孩兒精巧過人。看來古今賢淑，多曉詩書。他日嫁一書生，不枉了談吐相稱。你意下如何？〔老旦〕但憑尊意。

【前腔】〔貼持酒壺隨旦上〕嬌鶯欲語，眼見春如許，寸草心怎報得春光一二？

〔見介〕爹娘萬福！〔外〕孩兒，後面捧着酒肴，是何主意？〔旦跪介〕今日春光明媚，爹娘寬坐後堂。

第三齣　訓女

女孩兒敢進三爵之觴，少效千春之祝。〔外笑介〕生受你！

【玉山頹】④〔旦進酒介〕爹娘萬福，女孩兒無限歡娱。坐黄堂百歲春光，進美酒一家天禄。祝萱花椿樹，雖則是子生遲暮，守得見這蟠桃熟。〔合〕且提壺花間竹下長引着鳳凰雛。

〔外〕春香，酌小姐一杯。

【前腔】吾家杜甫，爲漂零老愧妻孥。〔淚介〕夫人，我比子美公公更可憐也！他還有念老夫詩句男兒，俺則有學母氏畫眉嬌女。〔老旦〕相公休焦，儻若招得好女壻，與兒子一般。〔外笑介〕可一般呢？〔老旦〕做門楣古語，爲甚的這叨叨絮絮，纔到的中年路。〔合前〕

〔外〕女孩兒，把臺盞收去。〔旦下介〕〔外〕叫春香，俺問你：小姐終日繡房，有何生活？〔貼〕繡房中則是繡。〔外〕繡的許多？〔貼〕繡了打綿。〔外〕什麼綿？〔貼〕睡眠。〔外〕好哩，好哩，夫人，你纔説長向花陰課女工，卻縱容女孩兒閒眠，是何家教！叫女孩兒。〔旦上〕爹爹有何分付！〔外〕適問春香，你白日眠睡，是何道理？假如刺繡餘閒，有架上圖書，可以寓目。他日到人家，知書知禮，父母光輝。這都是你娘親失教也。

【玉抱肚】宦囊清苦，也不曾詩書誤儒。你好些時做客爲兒，有一日把家當户。

是爲爹的疎散不兒拘，道的個爲娘是女模。

【前腔】〔老旦〕眼前兒女，俺爲娘心蘇體劬。嬌養他掌上明珠，出落的人中美玉。兒呵，爹三分説話你自心模，難道八字梳頭做目呼。

【前腔】〔旦〕黄堂父母，倚嬌癡慣習如愚。剛打的鞦韆畫圖，閒榻着鴛鴦繡譜。從今後茶餘飯飽破工夫，玉鏡臺前插架書。

〔老旦〕雖然如此，要個女先生講解纔好。〔外〕不能勾。

【前腔】後堂公所，請先生則是黌門腐儒。〔老旦〕女兒呵，怎念遍的孔子詩書，但略識周公禮數。〔合〕不枉了銀娘玉姐只做個紡磚兒，謝女班姬女校書。

〔外〕請先生不難，則要好生管待。

【尾聲】説與你夫人愛女休禽犢，館明師茶飯須清楚，你看我治國齊家也則是數卷書。

往年何事乞西賓？柳宗元　主領春風只在君。王　建

伯道暮年無嗣子，苗　發　女中誰是衛夫人？劉禹錫

【校】

①見，朱墨本、獨深居本俱作「澗」，如是則應屬上句。②【繞池遊】曲應有六句，下缺三句。③來，獨深居本作「秋」。④【玉山頹】，南詞新譜題作【玉山供】，謂【玉抱肚】犯【五供養】。香囊記始以此曲標【玉山頹】。

第四齣　腐　嘆

【雙勸酒】〔末老儒上〕燈窗苦吟，寒酸撒吞。科場苦禁，蹉跎直恁。可憐辜負看書心，吼兒病年來迸侵。

咳嗽病多疎酒盞，村童俸薄減廚煙。爭知天上無人住？弔下春愁鶴髮仙。自家南安府儒學生員陳最良，表字伯粹。祖父行醫，小子自幼習儒，十二歲進學，超增補廩，觀場一十五次。不幸前任宗師，考居劣等停廩，兼且兩年失館，衣食單薄，這些後生都順口叫我陳絶糧。因我醫卜地理，所事皆知，又改我表字伯粹做百雜碎。明年是第六個旬頭，也不想甚的了。有個祖父藥店，依然開張在此。儒變醫，菜變齏，這都不在話下。昨日聽見本府杜太守，有個小姐，要請先生。好些奔競的鑚去，他可爲甚的？鄉邦好説話，一也；通關節，二也；撞太歲，三也；穿他門子管家，改竄文卷，四也；別處吹噓進身，五也；下頭官兒怕他，六也；家裏騙人，七也。爲此七事，没了頭要去。他們都不知：官銜可是好踏的。況且女學生，一發難教，輕不得，重不得。倘然間體面有些不臻，啼不得，哭不得。似我老人家罷了。正是有書遮老眼，不妨無藥散閒愁。〔丑府學老門子上〕天下秀才窮到底，學中門子老成精。〔見介〕陳齋長報喜！〔末〕何喜？〔丑〕杜太爺要請個先生教小姐，掌教老爹開了十數名去都不中，説要老成的。我去掌教老爹處稟上了你，太爺有請帖在此。〔末〕人之患在好爲人師。

〔丑〕人之飯，有得你喫哩。〔末〕這等便行。〔行介〕

【洞仙歌】咱頭巾破了修，靴頭綻了兜。〔丑〕你坐老齋頭，衫襟没了後頭。〔合〕硯水漱净口，去承官飯溲，剔牙杖敢黄齏臭？

【前腔】〔丑〕咱門兒尋事頭，你齋長干罷休。〔末〕要我謝酬，知那裏留不留？〔合〕不論端陽九，但逢出府遊，則捻着衫兒袖。

〔丑〕望見府門了。

世間榮樂本逡巡①，李商隱　〔末〕誰睬髭鬚白似銀。曹唐

〔丑〕風流太守容閒坐，朱慶餘　〔合〕便有無邊求福人。韓愈

【校】

① 樂，原作「落」，據清暉閣本改。

第五齣　延師

【浣沙溪】①　〔外引貼扮門子丑扮皂隸同上〕山色好，訟庭稀。朝看飛鳥暮飛回，印牀花落簾垂地。

杜母高風不可攀，甘棠遊憩在南安。雖然爲政多陰德，尚少階前玉樹蘭。我杜寶，出守此間，只有夫人一女，尋個老儒教訓他。昨日府學開送一名廩生陳最良，年可六旬，從來飽學。一來可以教授小女，二來可以陪伴老夫。今日放了衙參，分付安排禮酒。叫門子伺候。〔衆應介〕

【前腔】〔末儒巾藍衫上〕須抖擻，要拳奇。衣冠欠整老而衰，養浩然分庭還抗禮。

〔丑稟介〕陳齋長到門。〔外〕就請衙内相見。〔丑唱門介〕南安府學生員進。②〔末跪，起揖，又跪介〕生員陳最良稟拜。〔拜介〕廣學開書院，〔外〕崇儒引席珍。〔末〕獻酬樽俎列，〔外〕賓主位班陳。叫左右，陳齋長在此清敘，着門役散回，家丁伺候。〔衆應下〕〔净家童上〕〔外〕久聞先生飽學，敢問尊年有幾？祖上可也習儒？〔末〕容稟：

【鎖南枝】③　將耳順，望古稀，儒冠誤人霜鬢絲。〔外〕近來？〔末〕君子要知醫，懸壺舊家世。〔外〕原來世醫，還有他長？〔末〕凡雜作，可試爲。但諸家，略通的。

〔外〕這等，一發有用。

【前腔】聞名久，識面初，果然大邦生大儒。〔末〕不敢！〔外〕有女頗知書，先生長訓詁。〔末〕當得，則怕做不得小姐之師。〔外〕那女學士，你做的班大姑。今日選良辰，叫他拜師傅。

〔外〕院子，敲雲板，請小姐出來。

【前腔】〔旦引貼上〕添眉翠，搖佩珠，繡屏中生成士女圖。蓮步鯉庭趨，儒門舊家數。〔貼〕先生來了，怎好？〔旦〕少不得去。丫頭，那賢達女，都是些古鏡模。你便略知書，也做好④奴僕。

〔净報介〕小姐到。〔見介〕〔外〕我兒過來：玉不琢，不成器；人不學，不知道。今日吉辰，來拜了先生。〔内鼓吹〕〔旦拜介〕學生自愧蒲柳之姿，敢煩桃李之教！〔末〕愚老恭承捧珠之愛，謬加⑤琢玉之功。〔外〕春香丫頭，向陳師父叩頭，着他伴讀。〔貼叩頭介〕〔末〕敢問小姐所讀何書！〔外〕男女四書，他都成誦了，則看些經旨罷。易經以道陰陽，義理深奧；書以道政事，與婦女没相干；春秋禮記，又是孤經。則詩經開首，便是后妃之德。四個字兒順口，且是學生家傳，習詩經罷。其餘書史儘有，則可惜他是個女兒。

【前腔】我年將半，性喜書，牙籤插架三萬餘。〔嘆介〕我伯道恐無兒，中郎有誰付？先生，他要看的書儘有⑥。有不臻的所在，打丫頭。〔貼〕哎喲！〔外〕冠兒下，他做個女秘書。小梅香，要防護。

〔末〕謹領。〔外〕春香伴小姐進衙，我陪先生酒去。〔旦拜介〕酒是先生饌，女爲君子儒。〔下〕〔外〕請先生後花園飲酒。

門館無私白日閒，薛能　百年粗糲腐儒餐。杜甫
在家弄玉惟嬌女，柳宗元　花裏尋師到杏壇。⑦錢起

【校】

①【浣沙溪】，不誤。格正、葉譜妄改爲【搗練子】，可謂多此一舉。　②「生員進」下原本、朱墨、清暉閣、獨深居各本俱有〔下〕字，衍。　③【鎖南枝】，格正題作【孝南枝】，謂【孝順歌】犯【鎖南枝】。　④做好，朱墨本作「好做」。　⑤加，清暉閣本作「叨」。　⑥有，原本、朱墨本俱作「看」。　⑦下場詩，各本一、三兩句上俱有「外」字，二句上俱有「末」字，四句上俱有「合」字。

第六齣　悵眺

【番卜算】〔丑韓秀才上〕家世大唐年，寄籍潮陽縣。越王臺上海連天，可是鵬程便。

榕樹梢頭訪古臺，下看甲子海門開。越王歌舞今何在？時有鷓鴣飛去來。自家韓子才，俺公公唐朝韓退之，爲上了破佛骨表，貶落潮州。一出門，藍關雪阻，馬不能前。先祖心裏暗暗道：第一程采頭罷了。正苦中間，忽然有個湘子侄兒，乃下八洞神仙，藍縷相見。俺退之公公一發心裏不快，呵融凍筆，題一首詩在藍關草驛之上。末二句單指着湘子説道：知汝遠來應有意，好收吾骨瘴江邊。湘子袖了這詩，長笑一聲，騰空而去。果然後來退之公公潮州瘴死，舉目無親，那湘子恰在雲端看見，想起前詩，按下雲頭，收其骨殖。到得衙中，四顧無人，單單則有湘子原妻一個在衙。四目相視，把湘子一點凡心頓起。當時生下一支，留在水潮，傳了宗祀，小生乃其嫡派苗裔也。因亂流來廣城，官府念是先賢之後，表請敕封小生爲昌黎祠香火秀才，寄居趙佗王臺子之上。正是：雖然乞相寒儒，卻是仙風道骨。呀！早一位朋友上來，誰也？

【前腔】〔生上〕經史腹便便，晝夢人還倦。欲尋高聳看雲煙，海色光平面。

〔相見介〕〔丑〕是柳春卿，甚風兒吹的老兄來！〔生〕偶爾孤遊上此臺。〔丑〕這臺上風光儘可矣，〔生〕

則無奈登臨不快哉。〔丑〕小弟此間受用也。〔生〕小弟想起來，到是不讀書的人受用。〔丑〕誰？〔生〕趙佗王便是。

【瑣窗寒】祖龍飛、鹿走中原，尉佗呵，他倚定着摩崖半壁天。稱孤道寡，是他英雄本然。白占了江山，猛起些宫殿。似吾儕讀盡萬卷書，可有半塊土麼？那半部上山河不見。〔合〕由天，那攀今弔古也徒然，荒臺古樹寒煙。

〔丑〕小弟看兄氣象言談，似有無聊之嘆。先祖昌黎公有云：不患有司之不明，只患文章之不精；不患有司之不公，只患經書之不通。老兄還則怕工夫有不到處？〔生〕這話休提。比如我公公柳宗元，與你公公韓退之，他都是飽學才子，卻也時運不濟，你公公錯題了佛骨表，貶職潮陽；我公公則爲在朝陽殿與王叔文丞相下碁子，驚了聖駕，直貶做柳州司馬。都是邊海煙瘴地方。那時兩公一路而來，旅舍之中，兩個挑燈細論。你公公說道：宗元，宗元，我和你兩人文章，三六九比勢：我有王泥水傳，你便有梓人傳；我有毛中書傳，你便有郭駝子傳；我有祭鱷魚文，你便有捕蛇者說。這也罷了。則我進平淮西碑，取奉取奉朝廷，你卻又進個平淮西的雅。一篇一篇，你都放俺不過。恰如今貶竄煙方，也合着一處，豈非時乎？運乎？命乎？韓兄，這長遠的事休提了。假如俺和你論如常，難道便應這等寒落？因何俺公公造下一篇乞巧文，到俺二十八代玄孫，再不曾乞得一些巧來？便是你公公立意做下送窮文，到老兄二十幾輩了，還不曾送的個窮去。算來都則爲時運二字所虧。〔丑〕是也。春卿兄，

【前腔】你費家資製買書田，怎知他賣向明時不值錢？雖然如此，你看趙佗王當時，也有個秀才陸賈，拜爲奉使中大夫到此，趙佗王多少尊重他。他歸朝燕，黄金累千。那時漢高皇厭見讀書之人，但有個帶儒巾的，都拿來溺尿。這陸賈秀才，端然帶了四方巾，深衣大擺，去見漢高皇。那高皇望見，這又是個掉尿鱉子的來了，便迎着陸賈駡道：你老子用馬上得天下，何用詩書！那陸生有趣，不多應他，只回他一句：陛下馬上取天下，能以馬上治之乎？漢高皇聽了，呀然一笑，説道：便依你説，不管什麽文字，念了與寡人聽之。陸大夫不慌不忙，袖裏出一卷文字，恰是平日燈窗下纂集的新語一十三篇，高聲奏上。那高皇纔聽了一篇，龍顔大悦。後來一篇一篇，都喝采稱善，立封他做個關内侯。那一日好不氣象！休道漢高皇，便是那兩班文武，見者皆呼萬歲。一言擲地，萬歲諠天。〔生嘆介〕則俺連篇累牘無人見。〔合前〕

〔丑〕再問春卿：在家何以爲生？〔生〕寄食園公。〔丑〕依小弟説，不如干謁些須，可圖前進。〔生〕你不知今人少趣哩。〔丑〕老兄，可知有個欽差識寶中郎苗老先生，到是個知趣人兒。今秋任滿，例于香山嶴多寶寺中賽寶，那時一往何如？〔生〕領教。

應念愁中恨索居，段成式　青雲器業俺全疎。李商隱

越王自指高臺笑。皮日休　劉項原來不讀書。章　碣

〔末上〕吟餘改抹前春句，飯後尋思午晌茶。蟻上案頭沿硯水，蜂穿窗眼咂瓶花。我陳最良，杜衙設帳，杜小姐家傳毛詩，極承老夫人管待。今日早膳已過，我且把毛注潛玩一遍。〔念介〕關關雎鳩，在河之洲。窈窕淑女，君子好逑。好者，好也；逑者，求也。〔看介〕這早晚了，還不見女學生進館，卻也嬌養的凶，待我敲三聲雲板。〔敲雲板介〕春香，請小姐上書。

【繞池遊】〔旦引貼捧書上〕素裝纔罷，緩步書堂下，對净几明窗瀟灑。〔貼〕昔氏賢文，把人禁殺，恁時節則好教鸚哥喚茶。

〔見介〕〔旦〕先生萬福。〔貼〕先生少怪！〔末〕凡爲女子，鷄初鳴，咸盥漱櫛笄，問安于父母。日出之後，各供其事。如今女學生以讀書爲事，須要早起。〔旦〕以後不敢了。〔貼〕知道了，今夜不睡，三更時分，請先生上書。〔末〕昨日上的毛詩，可温習？〔旦〕温習了，則待講解。〔末〕你念來。〔旦念書介〕關關雎鳩，在河之洲。窈窕淑女，君子好逑。〔末〕聽講：關關雎鳩，雎鳩，是個鳥；關關，鳥聲也。〔貼〕怎樣聲兒？〔末作鳩聲〕〔貼學鳩聲諢介〕〔末〕此鳥性喜幽静，在河之洲。〔貼〕是了。不是昨日是前日，不是今年是去年，俺衙内關着個斑鳩兒，被小姐放去，一去去在何知州家。〔末〕胡説！這是興。〔貼〕興個甚的那？〔末〕興者，起也，起那下頭。窈窕淑女，是幽閒女子，有那等君子好好的來求他。〔貼〕爲甚好好的求他？〔末〕多嘴哩。〔旦〕師父，依注解書，學生自會，但把詩經大意，敷①演一番。

【掉角兒】〔末〕論六經詩經最葩，閨門内許多風雅。有指證姜嫄産哇，不嫉妒后妃賢達。更有那詠鷄鳴，傷燕羽，泣江皋，思漢廣，洗浄鉛華。有風有化，宜室宜家。〔旦〕這經文偌多？〔末〕詩三百，一言以蔽之，没多些，只「無邪」兩字，付與兒家。

書講了，春香，取文房四寶來模字。〔貼下取上〕紙筆墨硯在此。〔末〕這甚麽墨？〔旦〕丫頭，錯拿了。這是螺子黛，畫眉的。〔末〕這甚麽筆？〔旦作笑介〕這便是畫眉細筆。〔末〕俺從不曾見，拿去，拿去。這是甚麽紙？〔旦〕薛濤箋。〔末〕拿去，拿去，只拿那蔡倫造的來。這是甚麽硯？是一個？是兩個？〔旦〕鴛鴦硯。〔末〕許多眼。〔旦〕淚眼。〔末〕哭甚麽子？一發换了來。〔貼背介〕好個標老兒，待换去。〔下换上〕這可好？〔末看介〕着！〔旦〕學生自會臨書，春香還勞把筆。〔末〕看你臨。〔旦寫字介〕〔末看驚介〕我從不曾見這樣好字，這甚麽格？〔旦〕是衛夫人傳下，美女簪花之格。〔貼〕待俺寫個奴婢學夫人。〔旦〕還早哩。〔貼〕先生，學生領出恭牌。〔下〕〔旦〕敢問師母尊年？〔末〕目下平頭六十。〔旦〕待學生繡對鞋兒上壽，請個樣兒。〔末〕生受了！依孟子上樣兒，做個「不知足而爲屨」罷了。〔旦〕還不見春香來。〔末〕要唤他麽？〔末叫三度介〕〔貼上〕害淋的！〔旦作惱介〕劣丫頭！那裏來？〔貼笑介〕溺尿去來。原來有座大花園，花明柳緑，好耍子哩！〔末〕哎也！不攻書，花園去，待俺取荆條來。〔貼〕荆條做甚麽？

【前腔】女郎行那裏應文科判衙，止不過識字兒書塗嫩鴉。〔起介〕〔末〕古人讀書，有囊螢的，趁月亮的。〔貼〕待映月耀蟾蜍眼花，待囊螢把蟲蟻兒活支煞。〔末〕懸梁刺股呢？〔貼〕比似你懸了梁，損頭髮；刺了股，添疤痆，有甚光華？〔内叫賣花介〕〔貼〕小姐，你聽一聲聲賣花，把讀書聲差。〔末〕又引逗小姐哩，待俺當真打一下！〔末做打介〕〔貼閃介〕你待打打這哇哇，桃李門墻，嶮把負荆人諕煞。〔貼搶荆條投地介〕〔旦〕死丫頭！唐突了師父，快跪下。〔貼跪介〕〔旦〕師父恕他初犯，容學生責認一遭兒。

【前腔】手不許把鞦韆索拿，脚不許把花園路踏。〔貼〕則瞧罷。〔旦〕還嘴，這招風嘴把香頭來綽疤，招花眼把繡針兒簽瞎。〔貼〕瞎了中甚用！〔旦〕則要你守硯臺，跟書案，伴詩云，陪子曰，没的争差。〔貼〕争差些罷。〔旦挦貼髮介〕則問你幾絲兒頭髮？幾條背花？敢也怕些些，夫人堂上，那些家法？

〔貼〕再不敢了！〔旦〕可知道。〔末〕也罷，鬆這一遭兒，起來。〔貼起介〕

【尾聲】〔末〕女弟子則争箇不求聞達，和男學生一般兒教法。你們工課完了，方可回衙，咱和公相陪話去。〔合〕怎辜負的這一弄明窗新絳紗。〔下〕

〔貼作從背後指末罵介〕村老牛！癡老狗！一些趣也不知。〔旦作扯介〕死丫頭！一日爲師，終身爲父，他打不的你？俺且問你：那花園在那裏？〔貼作不説〕〔旦笑問介〕〔貼指介〕兀那不是？〔旦〕可有什麽景致？〔貼〕景致麽？有亭臺六七座，鞦韆一兩架，繞的流觴曲水，面着太湖山石，名花異草，委實華麗。

〔旦〕原來有這等一個所在。且回衙去。

〔旦〕也曾飛絮謝家庭，李山甫

〔旦〕無限春愁莫相問，趙　嘏

〔貼〕欲化西園蝶未成。張　泌

〔合〕緑陰終借暫時行。張　祜

【校】

①敷，原作「教」，據朱墨本改。

第八齣　勸農

【夜遊朝①】〔外引浄扮皂隸，貼扮門子同上〕何處行春開五馬，采邠風物候穠②華。竹宇聞鳩，朱幡引鹿，且留憩甘棠之下。

【古調笑】時節，時節，過了春三二月。乍晴膏雨煙濃，太守春深勸農。農重，農重，緩理征徭詞訟。俺南安府，在江廣之間，春事頗早，想俺爲太守的，深居府堂，那遠鄉僻塢，有抛荒遊懶的，何由得知？昨已分付該縣置買花酒，待本府親自勸農，想已齊備。〔丑扮縣吏上〕承行無令史，帶辦有農民。稟爺爺，勸農花酒，俱已齊備。〔外〕分付起行。近鄉之處，不許多人囉唣。〔衆應，喝道起行介〕〔外〕正是：爲乘陽氣行春令，不是閒遊玩物華。〔下〕

【前腔】〔生末扮父老上〕白髮年來公事寡，聽兒童笑語諠譁。太守巡遊，春風滿馬，敢借着這務農宣化。

俺等乃是南安府清樂鄉中父老，恭喜本府杜太爺，管治三年，慈祥端正，弊絶風清。凡各村鄉約保甲，義倉社學，無不舉行，極是地方有福。現今親自各鄉勸農，不免官亭伺候。那祗候們扛擡花酒到來也。

【普賢歌】〔丑老旦扮公人扛酒提花上〕俺天生的快手賊無過，衙舍裏消消没的睃，扛酒去前坡。〔做跌介〕幾乎破了哥，摔破了花花你賴不的我。

〔生末〕列位祇候哥到來。〔老旦丑〕便是這酒埕子漏了，則怕酒少，煩老官兒遮蓋些。〔生末〕不妨，且擡過一邊，村務裏嗑酒去。〔老旦丑下〕〔生末〕地方端正坐椅，太爺到來。〔虚下〕

【排歌】〔外引衆上〕紅杏深花，菖蒲淺芽，春疇漸暖年華。竹籬茅舍酒旗兒叉，雨過炊煙一縷斜。〔生末接介〕〔合〕提壺叫，布穀喳，行看幾日免排衙。休頭踏，省諠譁，怕驚他林外野人家。

〔皂稟介〕稟爺：到官亭。〔生末見介〕〔外〕衆父老，此爲何鄉何都？〔生末〕南安縣第一都清樂鄉。〔外〕待我一觀。〔望介〕美哉此鄉！真個清而可樂也。【長相思】你看：山也清，水也清，人在山陰道上行，春雲處處生。〔生末〕正是：官也清，吏也清，村民無事到公庭，農歌三兩聲。〔外〕父老，知我春遊之意乎？

【八聲甘州】平原麥灑，翠波搖翦翦，綠疇如畫。如酥嫩雨，繞塍春色䕼苴。趁江南土疎田脈佳，怕人户們抛荒力不加。還怕，有那無頭官事誤了你好生涯。

〔父老〕以前晝有公差，夜有盜警。老爺到後呵，

【前腔】③千村轉歲華，愚父老香盆，兒童竹馬。陽春有脚，經過百姓人家。月

明無犬吠黄花，雨過有人耕緑野。真個，村村雨露桑麻。〔内歌「泥滑喇」介〕〔外〕前村田歌可聽。

【孝白歌】〔净扮田夫上〕泥滑喇，脚支沙，短耙長犁滑律的拿。夜雨撒菰麻，天晴出糞渣，香風餣鮓。〔外〕歌的好！夜雨撒菰麻，天晴出糞渣，香風餣鮓，是説那糞臭。父老呵，他卻不知這糞是香的，有詩爲證：焚香列鼎奉君王，饌玉炊金飽即妨。直到飢時聞飯過，龍涎不及糞渣香。與他插花，賞酒。〔净插花飲酒，笑介〕好老爺，好酒。〔合〕官裏醉流霞，風前笑插花，把農夫們俊煞。〔下〕

〔門子稟介〕一個小廝唱的來也。

【前腔】〔丑扮牧童拿笛上〕春鞭打，笛兒吵，倒牛背斜陽閃暮鴉。〔笛指門子介〕他一樣小腰㧐，一般雙髻鬌，能騎大馬。〔外〕歌的好！怎生指着門子，唱一樣小腰㧐，一般雙髻鬌，能騎大馬？父老，他怎知騎牛的到穩？有詩爲證：常羨人間萬户侯，只知騎馬勝騎牛。今朝馬上看山色，争似騎牛得自由？賞他酒，插花去。〔丑插花飲酒介〕〔合〕官裏醉流霞，風前笑插花，村童們俊煞。〔下〕

〔門子稟介〕一對婦人歌的來也。

【前腔】〔旦老旦採桑上〕那桑陰下，柳篓兒搓，順手腰身翦一丫。呀！甚麼官員在此？俺羅敷自有家，便秋胡怎認他？提金下馬。〔外〕歌的好！説與他：不是魯國秋胡，不是秦家使君，是本府太爺勸農。見此勤劬採桑，可敬也。有詩爲證：一般桃李聽笙歌，此地桑陰十畝多。不比世間閒草木，絲絲葉葉是綾羅。領酒插花去。〔二旦背插花飲酒介〕〔合〕官裏醉流霞，風前笑插花，采桑人俊煞。〔下〕

〔門子稟介〕又一對婦人唱的來也。

【前腔】〔老旦④丑持筐採茶上〕乘穀雨，採新茶，一旗半槍金縷芽。呀！甚麼官員在此？學士雪炊他，書生困想他，竹煙新瓦。〔外〕歌的好！説與他：不是郵亭學士，不是陽羨書生，是本府太爺勸農。看你婦女們采桑采茶，勝如采花。有詩爲證：只因天上少茶星，地下先開百草精。閒煞女郎貪鬭草，風光不似鬭茶清。領了酒，插花去。〔净丑插花飲酒介〕〔合〕官裏醉流霞，風前笑插花，采茶人俊煞。〔下〕

〔生末跪介〕稟老爺：衆父老茶飯伺候。〔外〕不消。餘花餘酒，父老們領去，給散小鄉村，也見官府勸農之意。叫祗候們起馬。〔生末做攀留不許介〕〔起叫介〕村中男婦領了花賞了酒的，都來送太爺。

【清江引】〔前各衆插花上〕黄堂春遊韻瀟灑，身騎五花馬。村務裏有光華，花酒藏風雅。〔外〕男女們請了。你德政碑，隨路打。

閭閻繚繞接山顛，杜甫　春草青青萬頃田。張繼

日暮不辭停五馬，羊士諤　桃花紅近竹林邊。薛能

【校】

①【夜遊朝】，當作【夜遊湖】。據九宫正始，此誤由來已久。不必如格正本改題【夜行船】也。

②穠，原作「濃」。據格正本改。③此曲，原作外唱，誤。④老旦當作浄，後世演出都以小旦扮演。

第九齣　肅苑

【一江風】〔貼上〕小春香，一種在人奴上，畫閣裏從嬌養。侍娘行，弄粉調朱，貼翠拈花，慣向妝臺傍。陪他理繡牀，陪他燒夜香。小苗條喫的是夫人杖。

花面丫頭十三四，春來綽約省人事。終須等着個助情花，處處相隨步步覷。俺春香，日夜跟隨小姐。看他名爲國色，實守家聲。嫩臉嬌羞，老成尊重。只因老爺延師教授，讀到毛詩第一章，「窈窕淑女，君子好逑」。悄然廢書而嘆曰：聖人之情，盡見於此矣。今古同懷，豈不然乎？春香因而進言，小姐讀書困悶，怎生消遣則個？小姐一會沈吟，逡巡而起，便問道：春香，你教我怎生消遣那？俺便應道：小姐，也没個甚法兒，後花園走走罷。小姐説：死丫頭！老爺聞知怎好？春香應説：老爺下鄉，有幾日了。小姐低回不語者久之，方纔取過曆書選看。説明日不佳，後日欠好，除大後日，是個小遊神吉期。預喚花郎，掃清花逕。我一時應了，則怕老夫人知道，卻也由他。且自叫那小花郎分付去。呀，迴廊那廂，陳師父來了。正是：年光到處皆堪賞，説與癡翁總不知。

【前腔】〔末上〕老書堂，暫借扶風帳，日暖鉤簾蕩。呀！那迴廊，小立雙鬟，似語無言，近看如何相？是春香，問你恩官在那廂？夫人在那廂？女書生怎不把書來上？

〔貼〕原來是陳師父，俺小姐這幾日没工夫上書。〔末〕爲甚？〔貼〕聽呵：

【前腔】甚年光，忒煞通明相，所事關情況。〔末〕有甚麼情況？〔貼〕老師父還不知，老爺怪你哩。〔末〕何事？〔貼〕説你講毛詩，毛的忒精了。俺小姐呵，爲詩章，講動情腸。〔末〕則講了個關關雎鳩。〔貼〕故此了。小姐説：關了的雎鳩，尚然有洲渚之興，可以人而不如鳥乎？書要埋頭，那景致則擡頭望。如今分付，明後日游後花園。〔末〕爲甚去游？〔貼〕他平白地爲春傷，因春去的忙，後花園要把春愁漾。

〔末〕一發不該了。

【前腔】論娘行，出入人觀望，步起須屏幛。春香，你師父靠天也六十來歲，從不曉得傷個春，從不曾游個花院。〔貼〕爲甚？〔末〕你不知，孟夫子説得好：聖人千言萬語，則要人收其放心，但如常，着甚春傷，要甚春遊，你放春歸，怎把心兒放？小姐既不上書，我且告歸幾日。春香呵，你尋常到講堂，時常向瑣窗，怕燕泥香點涴在琴書上。

我去了。繡户女郎閒鬭草，下帷老子不窺園。〔下〕〔貼弔場〕且喜陳師父去了，叫花郎在麽？〔叫介〕花郎！

【普賢歌】〔丑扮小花郎醉上〕一生花裏小隨衙，偷去街頭學賣花。令史們將我揸，祗候們將我搭，狠燒刀險把我嫩盤腸生灌殺。

〔見介〕春姐在此。〔貼〕好打！私出衙前騙酒，這幾日菜也不送。〔丑〕有菜夫。〔貼〕水也不梘。

〔丑〕這該打。〔丑〕有水夫。〔貼〕花也不送。〔丑〕每早送花，夫人一分，小姐一分。〔貼〕還有一分哩。〔丑〕這該打。〔貼〕你叫什麼名字？〔丑〕花郎。〔貼〕你把花郎的意思，搊個曲兒俺聽。搊的好，饒打。〔丑〕使得。

【梨花兒】小花郎看盡了花成浪，則春姐花沁的水洸浪，和你這日高頭偷瞧瞧。嗏，好花枝干鱉了作麼朗。

〔貼〕待俺還你也哥。

【前腔】小花郎做盡花兒浪，小郎當夾細的大當郎，〔丑〕哎喲！〔貼〕俺待到老爺回時説一浪。〔揪丑髮介〕嗏，敢幾個小榔頭把你分的朗。

〔丑倒介〕罷了。姐姐，爲甚事光降小園？〔貼〕小姐大後日來瞧花園，好些掃除花逕。〔丑〕知道了。

東郊風物正薰馨，崔日用　應喜家山接女星。陳陶

莫遣兒童觸紅粉，韋應物　便教鶯語太丁寧。①杜甫

【校】

①下場詩，一、三兩句上原有「貼」字，二、四兩句上原有「丑」字。

第十齣　驚　夢

【繞池遊】〔旦上〕夢回鶯囀，亂煞年光遍，人立小庭深院。〔貼〕注盡沈煙，抛殘繡綫，恁今春關情似去年。

【烏夜啼】〔旦〕曉來望斷梅關，宿妝殘。〔貼〕你側着宜春髻子，恰憑闌。〔旦〕剪不斷，理還亂，悶無端。〔貼〕已分付催花鶯燕，借春看。〔旦〕春香，可曾叫人掃除花徑？〔貼〕分付了。〔旦〕取鏡臺衣服來。〔貼取鏡臺衣服上〕雲髻罷梳還對鏡，羅衣欲換更添香。鏡臺衣服在此。

【步步嬌】〔旦〕裊晴絲吹來閒庭院，摇漾春如綫。停半晌整花鈿，没揣菱花，偷人半面，迤逗的彩雲偏。〔行介〕步香閨怎便把全身現？

〔貼〕今日穿插的好。

【醉扶歸】〔旦〕你道翠生生出落的裙衫兒茜，艷晶晶花簪八寶填，可知我常一生兒愛好是天然。恰三春好處無人見，不隄防沈魚落雁鳥驚諠，則怕的羞花閉月花愁顫。

〔貼〕早茶時了，請行。〔行介〕你看：畫廊金粉半零星，池館蒼苔一片青。踏草怕泥新繡襪，惜花

疼煞小金鈴。〔旦〕不到園林，怎知春色如許？

【皂羅袍】原來姹紫嫣紅開遍，似這般都付與斷井頹垣。良辰美景奈何天，賞心樂事誰家院。恁般景致，我老爺和奶奶再不提起。〔合〕朝飛暮捲，雲霞翠軒。雨絲風片，煙波畫船：錦屏人忒看的這韶光賤。

〔貼〕是花都放了，那牡丹還早。

【好姐姐】〔旦〕遍青山啼紅了杜鵑，荼蘼外煙絲醉軟。春香呵，牡丹雖好，他春歸怎占的先！〔貼〕成對兒鶯燕呵。〔合〕閒凝眄，生生燕語明如翦，嚦嚦鶯歌溜的圓。

〔旦〕去罷。〔貼〕這園子委是觀之不足也。〔旦〕提他怎的？〔行介〕

【隔尾】觀之不足由他繾，便賞遍了十二亭臺是枉然，到不如興盡回家閒過遣。

〔作到介〕〔貼〕開我西閣門，展我東閣牀。瓶插映山紫，鑪添沈水香。小姐，你歇息片時，俺瞧老夫人去也。〔下〕〔旦嘆介〕默地遊春轉，小試宜春面。春呵，得和你兩留連。春去如何遣？咳！恁般天氣，好困人也。春香那裏？〔左右瞧介〕〔又低首沈吟介〕天呵，春色惱人，信有之乎？常觀詩詞樂府，古之女子，因春感情，遇秋成恨，誠不謬矣。吾今年已二八，未逢折桂之夫；忽慕春情，怎得蟾宮之客？昔日韓夫人得遇于郎，張生偶逢崔氏，曾有題紅記、崔徽傳二書。此佳人才子，前以密約偷期，後皆得成秦晉。〔長嘆介〕吾生於宦族，長在名門。年已及笄，不得早成佳配，誠爲虚度青春。光陰如過隙耳。〔淚介〕可惜妾身顏色如花，豈料命如一葉乎！

【山坡羊】〔旦〕没亂裏春情難遣，驀地裏懷人幽怨。則爲我生小嬋娟，揀名門一例一例裏神仙眷。甚良緣，把青春拋的遠。俺的睡情誰見？則索因循靦腆。想幽夢誰邊？和春光暗流轉。遷延，這衷懷那處言？淹煎，潑殘生，除問天。

身子困乏了，且自隱几而眠。〔睡介〕〔夢生介〕〔生持柳枝上〕鶯逢日暖歌聲滑，人遇風情笑口開。一徑落花隨水入，今朝阮肇到天台。小生順路兒跟着杜小姐回來，怎生不見？〔回看介〕呀！小姐，小姐。〔旦作驚起，相見介〕〔生〕小生那一處不尋訪小姐來，卻在這裏。〔旦作斜視不語介〕〔生〕恰好花園内折取垂柳半枝，姐姐，你既淹通書史，可作詩以賞此柳枝乎？〔旦作驚喜，欲言又止介〕〔背云〕這生素昧平生，何因到此？〔生笑介〕小姐，咱愛殺你哩。

【山桃紅】則爲你如花美眷，似水流年。是答兒閒尋遍，在幽閨自憐。小姐，和你那答兒講話去。〔旦作含笑不行〕〔生作牽衣介〕〔旦低問介〕那邊去？〔生〕轉過這芍藥欄前，緊靠着湖山石邊。〔旦低問〕秀才，去怎的？〔生低答〕和你把領扣鬆，衣帶寬，袖稍兒揾着牙兒苫也，則待你忍耐温存一晌眠。〔旦作羞〕〔生前抱〕〔旦推介〕〔合〕是那處曾相見，相看儼然，早難道這好處相逢無一言。〔生强抱旦下〕

〔末花神束髮冠紅衣插花上〕催花御史惜花天，檢點春工又一年。蘸客傷心紅雨下，勾人懸夢綵雲邊。吾乃掌管南安府後花園花神是也。因杜知府小姐麗娘，與柳夢梅秀才，後日有姻緣之分。杜小姐遊春感傷，致使柳秀才入夢。咱花神專掌惜玉憐香，竟來保護他，要他雲雨十分歡幸也。

【鮑老催】單則是混陽烝變，看他似蟲兒般蠢動把風情搧，一般兒嬌凝翠綻魂兒顫。這是景上緣，想内成，因中見。呀！淫邪展污了花臺殿。咱待拈片落花兒驚醒他。〔向鬼門丢花介〕他夢酣春透了怎留連？拈花閃碎的紅如片。

秀才，纔到得半夢兒，夢畢之時，好送杜小姐仍歸香閣。吾神去也。〔下〕

【山桃紅】〔生旦攜手上〕這一霎天留人便，草藉花眠。小姐可好？〔旦低頭介〕〔生〕則把雲鬢點，紅鬆翠偏。小姐，休忘了呵，見了你緊相偎，慢廝連，恨不得肉兒般團成片也，逗的個日下胭脂雨上鮮。〔旦〕你可去呵？〔合前〕

〔生〕姐姐，你身子乏了，將息，將息。〔送旦依前作睡介〕〔輕拍旦介〕姐姐，俺去了。〔作回顧介〕姐姐，你可十分將息，我再來瞧你那。行來春色三分雨，睡去巫山一片雲。〔下〕〔旦作驚醒低叫介〕秀才，秀才，你去了也。〔又作癡睡介〕〔老上〕夫壻坐黄堂，嬌娃立繡窗。怪他裙衩上，花鳥繡雙雙。孩兒，孩兒，你爲甚磕睡在此？〔旦作醒，叫秀才介〕咳也！〔老〕孩兒怎的來？〔旦作驚起介〕奶奶到此。〔老〕我兒何不做些鍼指，或觀玩書史，舒展情懷？困何晝寢于此？〔旦〕兒適花園中閒玩，忽值春暄惱人，故此回房，無可消遣，不覺困倦少息。有失迎接，望母親恕兒之罪！〔老〕孩兒，這後花園中冷静，少去閒行。〔旦〕領母親嚴命。〔老〕孩兒，書堂看書去。〔旦〕先生不在，且自消停。〔老嘆介〕女孩家長成，自有許多情態，且自由他。正是：宛轉隨兒女，辛勤做老娘。〔下〕〔旦長嘆介，看老旦下介〕哎也天那！今日杜麗娘有些僥倖也。偶到後花園中，百花開遍，覩景傷情，没興而回。晝眠香閣，忽遇一生，年可弱冠，丰姿俊妍。於園中折得柳絲一枝，笑對奴家説：姐姐既淹通書史，何不將柳枝題賞一篇。那時待要應他一聲，心中自忖，素昧平生，不知名姓，何得輕與交言。正如此想間，只見那生向前，説了幾句傷心話兒，將奴摟抱去牡丹亭畔，芍藥闌邊，共成雲雨之歡。兩情和合，真個是千般愛惜，萬種温存。歡畢之時，又送我睡眠，幾聲「將息」。正待自送那生出門，忽直母親來到，唤醒將來。我一身冷汗，乃是南柯一夢。忙身參禮母親，又被母親絮了許多閒話。奴家口雖無言答應，心内思想夢中之事，何曾放懷？行坐不寧，自覺如有所失。娘呵，你叫我學堂看書去，知他看那一種書消悶也？〔作掩淚介〕

【綿搭絮】雨香雲片，纔到夢兒邊。無奈高堂，唤醒紗窗睡不便。潑新鮮冷汗黏煎。閃的俺心悠步嚲，意軟鬟偏。不争多費盡神情，坐起誰忺、則待去眠。

〔貼上〕晚妝銷粉印，春潤費香篝。小姐，熏了被窩睡罷。

【尾聲】〔旦〕困春心遊賞倦，也不索香熏繡被眠。天呵，有心情那夢兒還去不遠。

春望逍遥出畫堂。張説　間梅遮柳不勝芳。羅隱

可知劉阮逢人處，許渾　回首東風一斷腸。韋莊

〔老旦上〕昨日勝今日，今年老去年。可憐小兒女，長自繡窗前。幾日不到女孩兒房中，午晌去瞧他，只見情思無聊，獨眠香閣，問知他在後花園回，身子困倦。他年幼不知，凡少年女子，最不宜艷妝戲遊空冷無人之處。這都是春香賤才逗引他。春香那裏？〔貼上〕閨中圖一睡，堂上有千呼。奶奶，怎夜分時節，還未安寢？〔老〕小姐在那裏？〔貼〕陪過夫人，到香閣中，自言自語，淹淹春睡去了。敢在做夢也？〔老〕你這賤才！引逗小姐後花園去。倘有疎虞，怎生是了？〔貼〕以後再不敢了。〔老〕聽俺分付：

【征胡兵】女孩兒只合香閨坐，拈花翦朵。問繡窗鍼指如何？逗工夫一綫多。更晝長閒不過，琴書外自有好騰那，去花園怎麽？〔貼〕花園好景。〔老〕丫頭，不說你不知。

【前腔】後花園窣静無邊闊，亭臺半倒落。便我中年人要去時節，尚兀自裏打個磨陀。女兒家甚做作，星辰高猶自可。〔貼〕不高怎的？〔老〕廝撞着有甚不着科，教娘怎麽？

小姐不曾晚餐，早飯要早。你説與他：

〔老〕風雨林中有鬼神，蘇廣文〔貼〕寂寥未是采花人。鄭谷

〔老〕素娥畢竟難防備，段成式〔貼〕似有微詞動絳脣。唐彦謙

第十二齣　尋　夢

【夜遊宮】〔貼上〕膩臉朝雲罷盥，倒犀簪斜插雙鬟。侍香閨起早，睡意闌珊：衣桁前，妝閣畔，畫屏間。

伏侍千金小姐，丫鬟一位春香。請過貓兒師父，不許老鼠放光。僥倖毛詩感動，小姐吉日時良。拖帶春香遣悶，後花園裏遊芳。誰知小姐磕睡，恰遇着夫人問當。絮了小姐一會，要與春香一場。春香無言知罪，以後勸止娘行。夫人還是不放，少不得發咒禁當。〔內介〕春香姐，發個甚咒來？〔貼〕敢再跟娘胡撞，教春香即世裏不見兒郎。雖然一時抵對，烏鴉管的鳳凰？一夜小姐焦躁，起來促水朝妝。由他自言自語，日高花影紗窗。〔內介〕快請小姐早膳。〔貼〕報道官廚飯熟，且去傳遞茶湯。〔下〕

【月兒高】〔旦上〕幾曲屏山展，殘眉黛深淺。爲甚衾兒裏不住的柔腸轉？這憔悴非關愛月眠遲倦。可爲惜花，朝起庭院？

忽忽花間起夢情，女兒心性未分明。無眠一夜燈明滅，分煞梅香喚不醒。昨日偶爾春遊，何人見夢？綢繆顧盼，如遇平生。獨坐思量，情殊悵怳。真個可憐人也！〔悶介〕〔貼捧茶食上〕香飯盛來鸚鵡粒，清茶擎出鷓鴣斑。小姐，早膳哩。〔旦〕咱有甚心情也？

【前腔】 梳洗了纔匀面，照臺兒未收展。睡起無滋味，茶飯怎生咽？〔貼〕夫人分付：早飯要早。〔旦〕你猛說夫人，則待把飢人勸。你說爲人在世，怎生叫做喫飯？〔貼〕一日三餐。〔旦〕咳！甚甌兒氣力與擎拳，生生的了前件。

你自拿去喫便了。〔貼〕受用餘杯冷炙，勝如賸粉殘膏。〔下〕〔旦〕春香已去。天呵，昨日所夢，池亭儼然。只圖舊夢重來，其奈新愁一段！尋思展轉，竟夜無眠。咱待乘此空閒，背卻春香，悄向花園尋看。〔悲介〕哎也！似咱這般，正是：夢無綵鳳雙飛翼，心有靈犀一點通。〔行介〕一逕行來，喜的園門洞開，守花的都不在，則這殘紅滿地呵，

【懶畫眉】 最撩人春色是今年，少甚麼低就高來粉畫垣，原來春心無處不飛懸。〔絆介〕哎，睡荼蘼抓住裙衩綫，恰便是花似人心好處牽。

這一灣流水呵，

【前腔】 爲甚呵玉真重遡武陵源？也則爲水點花飛在眼前。是天公不費買花錢，則咱人心上有題紅怨。咳，孤負了春三二月天。

〔貼上〕喫飯去，不見了小姐，則得一逕尋來。呀！小姐，你在這裏。

【不是路】 何意嬋娟，小立在垂垂花樹邊？纔朝膳，個人無伴怎遊園？〔旦〕畫廊前，深深驀見銜泥燕，隨步名園是偶然。〔貼〕娘回轉，幽閨窣地教人見，那些兒閒串？

那些兒閒串？

【前腔】〔旦作惱介〕哇！偶爾來前，道的咱偷閒學少年。〔貼〕咳，不偷閒，偷淡。〔旦〕欺奴善，把護春臺都猜做謊桃源。〔貼〕敢胡言！這是夫人命，道春多刺繡宜添綫，潤逼鑪香好膩箋。〔旦〕還説甚來？〔貼〕這荒園塹，怕花妖木客尋常見，去小庭深院，去小庭深院！

〔旦〕知道了，你好生答應夫人去，俺隨後便來。〔貼〕閒花傍砌如依主，嬌鳥嫌籠會罵人。〔下〕〔旦〕丫頭去了，正好尋夢。

【忒忒令】那一答可是湖山石邊？這一答似牡丹亭畔。嵌雕闌芍藥芽兒淺，一絲絲垂楊綫，一丢丢榆莢錢。綫兒春甚金錢弔轉。

呀！昨日那書生，將柳枝要我題詠，强我歡會之時，好不話長。

【嘉慶子】是誰家少俊來近遠？敢迤逗這香閨去沁園。話到其間靦腆，他捏這眼，奈煩也天，咱噷這口，待酬言。

【尹令】那書生可意呵，咱不是前生愛眷，又素乏平生半面。則道來生出現，乍便今生夢見。生就個書生，恰恰生生抱咱去眠。

那些好不動人春意也，

【品令】 他倚太湖石，立着咱玉嬋娟。待把俺玉山推倒，便日暖玉生煙。捱過雕闌，轉過鞦韆，揹着裙花展。敢席着地，怕天瞧見。好一會分明，美滿幽香不可言。

夢到正好時節，甚花片兒弔下來也。

【豆葉黃】 他興心兒緊嗺嗺，嗚着咱香肩；俺可也慢掂掂做意兒周旋，等閒間把一個照人兒昏善。那般形現，那般軟綿。忑一片撒花心的紅影兒，弔將來半天，敢是咱夢魂兒厮纏。

咳！尋來尋去，都不見了。牡丹亭，芍藥闌，怎生這般悽涼冷落，杳無人跡？好不傷心也！〔淚介〕

【玉交枝】 是這等荒涼地面，没多半亭臺靠邊，好是咱瞇暖色眼尋難見。明放着白日青天，猛教人抓不到魂夢前。霎時間有如活現，打方旋再得俄延。呀，是這答兒壓黃金釧匾。

要再見那書生呵，

【月上海棠】 怎賺騙？依稀想像人兒見。那來時荏苒，去也遷延。非遠，那雨跡雲蹤纔一轉，敢依花傍柳還重現。昨日今朝，眼下心前，陽臺一座登時變。

再消停一番。〔望介〕呀，無人之處，忽然大梅樹一株，梅子磊磊可愛。

【二犯幺令】偏則他暗香清遠，傘兒般蓋的周全。他趁這，他趁這春三月紅綻雨肥天，葉兒青，偏迸着苦仁兒裏撒圓。愛煞這晝陰便，再得到羅浮夢邊。罷了，這梅樹依依可人，我杜麗娘若死後，得葬于此，幸矣。

【江兒水】偶然間心似繾，梅樹邊。這般花花草草由人戀，生生死死隨人願，便酸酸楚楚無人怨。待打併香魂一片，陰雨梅天，守的個梅根相見。

〔倦坐介〕〔貼上〕佳人拾翠春亭遠，侍女添香午院清。咳，小姐走乏了，梅樹下盹。

【川撥棹】你遊花院，怎靠着梅樹偃？〔旦〕一時間望，一時間望眼連天，忽忽地傷心自憐。〔泣介〕〔合〕知怎生情悵然？知怎生淚暗懸？

〔貼〕小姐甚意兒？

【前腔】〔旦〕春歸人面，整相看無一言。我待要折，我待要折的那柳枝兒問天，我如今悔不與題箋。〔貼〕這一句猜頭兒是怎言？〔合前〕

〔貼〕去罷。〔旦作行又住介〕

【前腔】爲我慢歸休，款留連，〔内鳥啼介〕聽，聽這不如歸春暮天。難道我再，難道我再到這亭園，則挣的箇長眠和短眠？〔合前〕

〔貼〕到了，和小姐瞧奶奶去。〔旦〕罷了。

【意不盡】 軟咍咍剛扶到畫闌偏，報堂上夫人穩便。咱杜麗娘呵，少不得樓上花枝也則是照獨眠。

（旦）從此時時春夢裏，白居易（貼）一生遺恨繫心腸。張祜

（旦）武陵何處訪仙郎？釋皎然（貼）只怪遊人思易忘。韋莊

第十三齣　訣　謁

【杏花天】〔生上〕雖然是飽學名儒，腹中飢峥嶸脹氣。夢魂中紫閣丹墀，猛擡頭，破屋半間而已。

蛟龍失水硯池枯，狡兔騰天筆勢孤。百事不成真畫虎，一枝難穩又驚烏。我柳夢梅，在廣州學裏，也是個數一數二的秀才，捱了些數伏數九的日子。於今藏身荒圃，寄口髯奴。思之思之，惶愧惶愧！想起韓友之談，不如外縣傍州，尋覓活計。正是：家徒四壁求楊意，樹少千頭愧木奴。老園公那裏？

【字字雙】〔净扮郭駝上〕前山低坬後山堆，駝背。牽弓射弩做人兒，把勢。一連十個偌來回，漏地。有時跌做繡毬兒，滚氣。

自家種園的郭駝子是也。祖公公郭橐駝，從唐朝柳員外來柳州。我因兵亂，跟隨他二十八代玄孫柳夢梅秀才的父親，流轉到廣，又是若干年矣。賣果子回來，看秀才去。〔見介〕秀才，讀書辛苦。〔生〕園公，正待商量一事。我讀書過了廿歲，並無發跡之期。思想起來，前路多長，豈能鬱鬱居此。搬柴運水，多有勞累，園中果樹，都判與伊。聽我道來：

【桂花鎖南枝】 俺有身如寄，無人似你。俺喫盡了黄淡酸甜，費你老人家澆培接植。你道俺像甚的來？鎮日裏似醉漢扶頭，甚日的和老駝伸背？自株守，教怨誰？讓荒園，你存濟。

【前腔】〔净〕俺橐駝風味，種園家世。〔揖介〕不能彀展脚伸腰，也和你鞠躬盡力。秀才，你貼了俺果園，那裏去？〔生〕坐食三餐，不如走空一棍。〔净〕怎生叫做一棍？〔生〕混名打秋風呢。〔净〕咳，你費工夫去撞府穿州，不如依本分登科及第。〔生〕你說打秋風不好，茂陵劉郎秋風客，到大來做了皇帝。〔净〕秀才，不要攀今弔古的，你待秋風誰？你道滕王閣，風順隨。則怕魯顔碑，響雷碎。

〔生〕俺干謁之興甚濃，休的阻當。〔净〕也整理些衣服去。

【尾聲】 把破衫衿徹骨捎挑洗。〔生〕學干謁黌門一布衣。〔净〕秀才，則要你衣錦還鄉俺還見的你。

〔生〕此身飄泊苦西東，杜甫　〔净〕笑指生涯樹樹紅。陸龜蒙

〔生〕欲盡出遊那可得？武元衡　〔净〕秋風還不及春風。王建

第十四齣　寫　真

【破齊陣】〔旦上〕徑曲夢迴人杳，閨深珮冷魂銷。似霧濛花，如雲漏月，一點幽情動早。〔貼上〕怕待尋芳迷翠蝶，倦起臨妝聽伯勞，春歸紅袖招。

【醉桃源】〔旦〕不經人事意相關，牡丹亭夢殘。〔貼〕斷腸春色在眉彎，倩誰臨遠山？〔旦〕排恨疊，怯衣單，花枝紅淚彈。〔合〕蜀妝晴雨畫來難，高唐雲影間。〔貼〕小姐，你自花園遊後，寢食悠悠，敢爲春傷，頓成消瘦？春香愚不諫賢，那花園以後再不可行走了。〔旦〕你怎知就裏？這是春夢暗隨三月景，曉寒瘦減一分花。

【刷子序犯】〔旦低〕春歸恁寒悄，都來幾日，意懶心喬，竟妝成熏香獨坐無聊。逍遙，怎剗盡助愁芳草？甚法兒點活心苗？真情强笑爲誰嬌？淚花兒打迸着夢魂飄。

【朱奴兒犯】〔貼〕小姐，你熱性兒怎不冰着？冷淚兒幾曾乾燥？這兩度春遊忒分曉，是禁不的燕抄鶯鬧。你自窨約，敢夫人見焦？再愁煩，十分容貌怕不上九分瞧。

第十四齣　寫　真

〔旦作驚介〕咳！聽春香言語，俺麗娘瘦到九分九了。俺且鏡前一照，委是如何？〔照，悲介〕哎也！俺往日艷冶輕盈，奈何一瘦至此！若不趁此時自行描畫，流在人間。一旦無常，誰知西蜀杜麗娘有如此之美貌乎？春香，取素絹丹青，看我描畫。〔貼下，取絹筆上〕三分春色描來易，一段傷心畫出難。絹幅丹青，俱已齊備。〔旦泣介〕杜麗娘二八春容，怎生便是杜麗娘自手生描也呵！

【普天樂】這些時把少年人如花貌，不多時憔悴了。不因他福分難銷，可甚的紅顏易老。論人間絕色偏不少，等把風光丢抹早。打滅起離魂舍欲火三焦，擺列着昭容閣文房四寶，待畫出西子湖眉月雙高。〔照鏡嘆介〕

【鴈過聲】輕綃，把鏡兒擘掠，筆花尖淡掃輕描。影兒呵和你細評度，你腮斗兒恁喜謔，則待注櫻桃染柳條，渲雲鬟煙靄飄蕭。眉梢青未了，個中人全在秋波妙，可可的淡春山鈿翠小。

【傾杯序】〔貼〕宜笑，淡東風立細腰，又似被春愁著。〔旦〕謝半點江山，三分門户，一種人才，小小行樂，撚青梅閒廝調。倚湖山夢曉，對垂楊風裊。忒苗條，斜添他幾葉翠芭蕉。

春香，嶝起來，可廝像也？

【玉芙蓉】〔貼〕丹青女易描，真色人難學。似空花水月，影兒相照。〔旦喜介〕畫的來可愛人也！咳，情知畫到中間好，再有似生成別樣嬌。〔貼〕只少個姐夫在身傍。若是姻緣早，把風流壻招，少甚麼美夫妻圖畫在碧雲高。

〔旦〕春香，咱不瞞你，花園遊玩之時，咱也有個人兒。〔貼驚介〕小姐，怎的有這等方便呵？〔旦〕夢哩。

【山桃犯】有一箇曾同笑，待想像生描着。再消詳邈入其中妙，則女孩家怕漏泄風情稿。這春容呵，似孤秋片月離雲嶠，甚蟾宮貴客傍的雲霄。

春香，記起來了。那夢裏書生，曾折柳一枝贈我，此莫非他日所適之夫姓柳乎？故有此警報耳。偶成一詩，暗藏春色，題于幀首之上，何如？〔貼〕卻好。〔旦題吟介〕近覩分明似儼然，遠觀自在若飛仙。他年得傍蟾宮客，不在梅邊在柳邊。〔放筆嘆介〕春香，也有古今美女，早嫁了丈夫相愛，替他描模畫樣；也有美人自家寫照，寄與情人。似我杜麗娘寄誰呵？

【尾犯序】心喜轉心焦，喜的明妝儼雅，仙珮飄飄。則怕呵，把俺年深色淺，當了個金屋藏嬌。虛勞，寄春容教誰淚落？做真真無人喚叫。〔淚介〕堪愁夭，精神出現留與後人標。

春香，悄悄喚那花郎分付他。〔貼叫介〕〔丑扮花郎上〕秦宮一生花裏活，崔徽不似卷中人。小姐有何分付？〔旦〕這一幅行樂圖，向行家裱去，叫人家收拾好些。

【鮑老催】這本色人兒妙，助美的誰家裱？要練花綃，簾兒瑩，邊闌小。教他有人問着休胡嘌，日炙風吹懸襯的好。怕好物不堅牢，把咱巧丹青休涴了。

〔丑〕小姐，裱完了，安奉在那裏？

【尾聲】〔旦〕儘香閨賞玩無人到，〔貼〕這形模則合挂巫山廟，〔合〕又怕爲雨爲雲飛去了。

〔貼〕眼前珠翠與心違，崔道融　〔旦〕卻向花前痛哭歸。韋莊

〔貼〕好寫妖嬈與教看，羅虬　〔旦〕令人評泊畫楊妃。韓偓

【一枝花】〔浄扮番王引衆上〕天心起滅了遼，世界平分了趙。静鞭兒替了胡笳哨。擂鼓鳴鐘，看文武班齊到。骨碌碌南人笑，則個鼻凹兒蹻，臉皮兒皰，毛梢兒魍。

萬里江山萬里塵，一朝天子一朝臣。俺北地怎禁沙日月？南人偏占錦乾坤。自家大金皇帝完顔亮是也。身爲夷虜，性愛風騷。俺祖公阿骨都，搶了南朝天下，趙康王走去杭州，今又三十餘年矣。聽得他妝點杭州，勝似汴梁風景。一座西湖，朝歡暮樂。有個曲兒，説他「三秋桂子，十里荷花」。便待起兵百萬，吞取何難！兵法虚虚實實，俺待用個南人，爲我鄉導。喜他淮安賊漢李全，有萬夫不當之勇，他心順溜于俺，俺先封他爲溜金王之職。限他三年内，招兵買馬，騷擾淮揚地方，相機而行，以開征進之路。哎喲！俺巴不到西湖上散悶兒也。

【二犯江兒水】平分天道，雖則是平分天道，高頭偏俺照。俺司天臺標着那南朝，標着他那答兒好。〔衆〕那答裏好？〔浄笑介〕你説西子怎嬌嬈？向西湖上笑倚着蘭橈。〔衆〕西湖有俺這南海子、北海子大麽？〔浄〕周圍三百里，波上花摇，雲外香飄，無明夜、錦笙歌圍醉繞。〔衆〕萬歲爺，借他來耍耍。〔浄〕已潜遣畫工，偷將他全景來了。那湖上有吴山第一峯，畫俺立馬其上，俺好不狠也！吳山最高，俺立馬在吳山最高。江南低小，也看見了江南低小。〔舞介〕俺怕不占場兒砌一個錦西湖上馬嬌。〔衆〕奏萬歲爺：怕急不能彀到西湖，何方駐駕？

【北尾】〔净〕呀！急切要畫圖中匹馬把西湖哨，且迤遞的看花向洛陽道。我呵，少不的把趙康王賸水殘山都占了。

可勝飲盡江南酒，張　祜　交割山川直到燕。王　建
線大長江扇大天，譚　峭　旌旗遥拂鴈行偏。司空圖

第十六齣　詰病

【三登樂】〔老旦上〕今生怎生，偏則是紅顏薄命？眼見的孤苦仃俜。〔泣介〕掌上珍，心頭肉，淚珠兒暗傾。天呵！偏人家七子團圓，一個女孩兒廝病。

【清平樂】如花嬌怯，合得天饒借。風雨於花生分劣，作意十分凌藉。止堪深閣重簾，誰教月榭風簷？我髮短迴腸寸斷，眼昏眵淚雙淹。老身年將半百，單生一女麗娘，因何一病，起倒半年？看他舉止容談，不似風寒暑濕。其中緣故，春香必知，則問他便了。春香賤才那裏？〔貼上〕有哩。我眼裏不逢乖小使，掌中擎着個病多嬌。得知堂上夫人召，賸酒殘脂要咱消。春香叩頭。〔老〕小姐閒常好好的，纔着你賤才伏事他。不上半年，偏是病害，可惱！可惱！且問近日茶飯多少？

【駐馬聽】〔貼〕他茶飯何曾，所事兒休提叫懶應。看他嬌啼隱忍，笑譫迷廝，睡眼懵憕。〔老〕早早稟請太醫了。〔貼〕則除是八法針針斷軟綿情，怕九還丹丹不的腌臢證。〔老〕是甚麽病？〔貼〕春香不知。道他一枕秋清，卻怎生還害的是春前病。

〔老哭介〕怎生了！

【前腔】他一搦身形，瘦的龐兒没了四星。都是小奴才逗他，大古是煙花惹事，鶯

燕成招，雲月知情。賤才！還不跪。取家法來。〔貼跪介〕春香實不知道。〔老〕因何瘦壞了玉娉婷？你怎生觸損了他嬌情性？〔貼〕小姐好好的拈花弄柳，不知因甚病了？〔老旦惱，打貼介〕打你這牢承，嘴骨稜的胡遮映。

〔貼〕夫人，休閃了手，容春香訴來。便是那一日，遊花園回來，夫人撞到時節，説個秀才，手裏拈的柳枝兒，要小姐題詩。小姐説：這秀才素昧平生，也不和他題了。〔老〕不題罷了，後來？〔貼〕後來那那那秀才就一拍手，把小姐端端正正抱在牡丹亭上去了。〔老〕去怎的？〔貼〕春香怎得知？小姐做夢哩。〔老驚介〕是夢麼？〔貼〕是夢。〔老〕這等着鬼了，快請老爺商議。〔貼請介〕老爺有請。〔外上〕肘後印嫌金帶重，掌中珠怕玉盤輕。夫人，女兒病體因何？〔老泣介〕老爺聽講：

【前腔】說起心疼，這病知他是怎生？看他長眠短起，似笑如啼，有影無形。原來女兒到後花園遊了，夢見一人，手執柳枝，閃了他去。〔作嘆介〕怕腰身觸污了柳精靈，虛囂側犯了花神聖。老爺呵，急與禳星，怕流星趕月相刑迸。

〔外〕卻還來，我請陳齋長教書，要他拘束身心，你爲母親的，到縱他閒遊。〔笑介〕則是些日炙風吹，傷寒流轉，便要禳解。不用師巫，則叫紫陽宮石道婆，誦些經卷可矣。古語云：信巫不信醫，一不治也。我已請過陳齋長，看他脈息去了。〔老〕看甚脈息？若早有了人家，敢没這病。〔外〕咳！古者，男子三十而娶，女子二十而嫁。女兒點點年紀，知道個什麼呢？

【前腔】忒恁憨生，一個哇兒甚七情？則不過往來潮熱，大小傷寒，急慢風驚。

則是你爲母的呵，真珠不放在掌中擎，因此嬌花不奈這心頭病。〔泣介〕〔合〕兩口丁零，告天天半邊兒是咱全家命。

〔丑扮院公上〕人來大庾嶺，船去鬱孤臺。稟老爺：有使客到。

【尾聲】〔外〕俺爲官公事有期程，夫人，好看惜女兒身命，少不的人向秋風病骨輕。〔下〕

〔老旦、貼弔場介〕〔老旦〕無官一身輕，有子萬事足。我看老相公則爲往來使客，把女兒病都不瞧，好傷懷也！〔泣介〕想起來，一邊叫石道婆禳解，一邊教陳教授下藥。知他效驗如何？咳！正是：世間只有娘憐女，天下能無卜與醫？〔下〕

第十七齣　道　覡

【風入松】〔净扮老道姑上〕人間嫁娶苦奔忙，只爲有陰陽。問天天從來不具人身相，只得來道扮男妝。屈指有四旬之上，當人生，夢一場。

【集唐】紫府空歌碧落寒，竹石如山不敢安。長恨人心不如石，每逢佳處便開看。貧道紫陽宫石仙姑是也。俗家原不姓石，則因生爲石女，爲人所棄，故號石姑。思想起來，要還俗，百家姓上有俺一家；論出身，千字文中有俺數句。天呵，非是俺「求古尋論」，恰正是「史魚秉直」。俺因何住在這「樓觀飛驚」，打併的「勞謙謹勑」？看修行似「福緣善慶」，論因果是「禍因惡積」。有甚麼「榮業所基」？幾輩兒「林皋幸即」。生下俺「形端表正」，那些「性静情逸」。大便孔似「園莽抽條」，小净處也「渠荷滴瀝」。只那些兒正好叉着口「鉅野洞庭」，偏和你滅了縫「昆池碣石」。雖則石路上可以「路俠槐卿」，石田中怎生「我藝黍稷」？難道嫁人家「空谷傳聲」，則好守娘家「孝當竭力」。可奈不由人「諸姑伯叔」，聒噪俺「入奉母儀」。母親説：你内才兒雖然「守真志滿」，外像兒「毛施淑姿」。是人家有個「上和下睦」，偏你石二姐没個「夫唱婦隨」。便請了個有口齒的媒人「信使可復」，許了個大鼻子的女壻「器欲難量」。則見不多時，那人家下定了。説道：選擇了一年上「日月盈昃」，配定了八字兒「辰宿列張」。他過的禮「金生麗水」，俺上了轎「玉出崑岡」。遮臉的「紈扇圓潔」，引路的「銀燭煒煌」。那新郎好不打扮的頭直上「高冠陪輦」，咱新人一般排比了腰兒下「束帶矜莊」。請了些「親戚故舊」，半路上「接杯舉觴」。請新人「升階納陛」，叫女伴們「侍巾幃房」。合巹的「弦歌酒讌」，撤帳的「詩讚羔羊」。把俺做新人嘴臉兒一寸寸「鑒貌辨色」，將俺那寶妝奩一件件都「寓目囊箱」。早是二更時分，新郎緊上來了。替俺説：俺兩口兒活像「鳴鳳在竹」，一時間就要「白駒食場」。則見被窩兒「蓋此身髮」，燈影裏褪盡了這幾件「乃服衣裳」。天呵！瞧了他那「驢騾犢特」，教俺好一會「悚懼恐惶」。那新郎見我害怕，説道：新人，你年紀不少了「閏餘成歲」，俺也可不使狠和你慢慢的「律呂調陽」。俺聽了，口不應，心兒裏笑着：新郎，新郎，任你「矯手頓足」，你可也「靡恃己長」。三更四更了，他則待陽臺上「雲騰致雨」；怎生巫峽内「露結爲霜」？他一時摸不出路數兒，道是怎的？快取亮來。側着腦要「右通廣内」，踣①着眼在「籃筍象牀」。那時節俺口不説，心下好不冷笑，新郎，新郎，俺這件東西，則許你「徘徊瞻眺」，怎許你「適口充腸」？如此者幾度了，惱的他氣不分的嘴勞叨②「俊乂密勿」，累的他鑿不竅皮混沌的「天地玄黄」。和他整夜價則是「寸陰是競」，待講起醜煞那「屬耳垣墻」。幾番待懸梁，待投河，「免其指斥」；若還用刀鑽，用綫藥，「豈敢毁傷」。便挤做赸了交「索居閒處」，甚法兒取他意「悦豫且康」。有了，有了，他没奈何央及煞後庭花「背邙面洛」，俺也則得且隨順乾荷葉和他「秋收冬藏」。哎喲！對面兒做的個「女慕貞潔」，轉腰兒到做了「男效才良」。雖則暫時間「釋紛利俗」，畢竟意情兒「四大五常」。要留俺怕誤了他「嫡後嗣續」，要嫁了俺怕人笑「飢厭糟糠」。這時節俺也索勸了他，官人，官人，少不的請一房「妾御績紡」，省你氣那「鳥官人皇」。俺情願「推位讓國」，則要你「得能莫忘」。後來當真討一個了，没多時做小的「寵增抗極」，反撚去俺爲正的

「率賓歸王」。不怨他只「省躬譏誡」，出了家罷俺則「垂拱平章」。若論這道院裏，昔年也不甚「宮殿盤鬱」，到老身纔開闢了「宇宙洪荒」。畫真武「劍號巨闕」，步北斗「珠稱夜光」。奉香供「果珍李柰」，把齋素也是「菜重芥薑」。世間味識得破「海鹹河淡」，人中網逃得出「鱗潛羽翔」。俺這出了家呵，把那幾年前做新郎的臭黏涎「骸垢想浴」，將俺即世裏做老婆的乾柴火「執熱願涼」。則可惜做觀主「遊鵾獨運」，也要知觀的「顧答審詳」。赴會的都要「具膳餐飯」，行脚的也要「老少異糧」。怎生觀中再没個人兒？也都則是「沈默寂寥」，全不會「牋牒簡要」。俺老將來「年矢每催」，鏡兒裏「晦魄環照」。硬配不上士女圖「馳譽丹青」，也要接的着仙真傳「堅持雅操」。懶雲遊「東西二京」，端一味「坐朝問道」。女冠子有幾個「同氣連枝」，騷道士不與他「工顰妍笑」。怕了他暗地虎「布射遼丸」，則守着寒水魚「鈞巧任鈞」。使喚的只一個「猶子比兒」，叫做癩頭黿「愚蒙等誚」。〔内〕姑娘罵俺哩，俺是個妙人兒。〔净〕好不羞「殆辱近恥」，到誇獎你「并皆佳妙」。〔内〕杜太爺皁隸，拿姑娘哩。〔净〕爲甚麽？〔内〕説你是個賊道。〔净〕咳，便道那府牌來「杜藁鍾隸」，把俺做女妖看「誅斬賊盜」。俺可也「散慮逍遥」，不用你這般「虚輝朗耀」。〔丑府差上〕承差府堂上，提名仙觀中。〔見介〕〔净〕府牌哥，爲何而來？

【大迓鼓】〔丑〕府主坐黄堂，夫人傳示，衙内敲梆。知他小姐年多長，染成一疾半年光。〔净〕俺不是女科。〔丑〕請你修齋，一會祈禳。

【前腔】〔净〕俺仙家有禁方，小小靈符，帶在身傍，教他刻下人無恙。〔丑〕有這等靈符，快行動些。〔行介〕〔净〕叫童兒。〔内應介〕〔净〕好看守卧雲房，殿上無人，仔細燈香。

〔内〕知道了。

〔净〕紫微宫女夜焚香，王建〔丑〕古觀雲根路已荒。釋皎然

〔净〕猶有真妃長命縷，司空圖〔丑〕九天無事莫推忙。曹唐

【校】

①踣，原誤作「陪」，當改。　②叨，原誤作「刀」，據朱墨本改。

第十八齣　診祟

【一江風】〔貼扶病旦上〕病迷厮，爲甚輕憔悴？打不破愁魂謎。夢初回，燕尾翻風，亂颯起湘簾翠。春去偌多時，春去偌多時。①花容只顧衰②，井梧聲刮的我心兒碎。

【行香子】〔旦〕春香呵，我楚楚精神，葉葉腰身，能禁多病逡巡？〔貼〕你星星措與，種種生成。有許多嬌，許多韻，許多情。〔旦〕咳！咱弄梅心事，那折柳情人，夢淹漸暗老殘春。〔貼〕正好簟罏香午，枕扇風清。知爲誰顰？爲誰瘦？爲誰疼？〔旦〕春香，我自春遊一夢，卧病如今，不癢不疼，如癡如醉，知他怎生？〔貼〕小姐，夢兒裏事，想他則甚？〔旦〕你教我怎生不想呵？

【金落索】③貪他半晌癡，賺了多情泥。待不思量，怎不思量得？就裏暗消肌，怕人知，嗽腔腔嫩喘微。哎喲！我這慣淹煎的樣子誰憐惜？自噤窄的春心怎的支？心兒悔，悔當初一覺留春睡。〔貼〕老夫人替小姐冲喜。〔旦〕信他冲的個甚喜？到的年時，敢犯殺花園內。

【前腔】〔貼〕看他春歸何處歸，春睡何曾睡，氣絲兒怎度的長天日？把心兒捧湊眉，病西施。小姐，夢去知他實實誰？病來只送的個虛虛的你，做行雲先渴倒在巫陽會。全無謂，把單相思害得忒明昧。又不是困人天氣，中酒心期，魆魆地常如醉。

〔末上〕日下曬書嫌鳥跡，月中搗藥要蟾酥。我陳最良，承公相命，來診視小姐脈息。到此後堂，不免打叫一聲。春香賢弟有麽？〔貼見介〕是陳師父，小姐睡哩。〔末〕免驚動他，我自進去。〔見介〕小姐。〔旦作驚介〕誰？〔貼〕陳師父哩。〔旦起扶介〕〔旦〕師父，我學生患病，久失敬了。〔末〕學生，學生，古書有云：學精於勤，荒于嬉。你因爲後花園湯風冒日，感下這疾，荒廢書工。我爲師的在外，寢食不安。幸喜老公相請來看病，也不料你清減至此。似這般樣，幾時勾起來讀書，早則端陽節哩。〔貼〕師父，端節有你的。〔末〕我說端陽，難道要你糉子。小姐，望聞問切，我且問你：病症因何？〔貼〕師父問甚麽？只因你講毛詩，這病便是「君子好求」上來的。〔末〕是那一位君子？〔貼〕知他是那一位君子！〔末〕這般說，毛詩病，用毛詩去醫。那頭一卷就有女科聖惠方在哩。〔貼〕師父，可記的毛詩上方兒？〔末〕便依他處方，小姐害了君子的病，用的史君子。毛詩：既見君子，云胡不瘳？這病有了君子抽一抽，就抽好了。〔旦羞介〕哎也！〔貼〕還有甚藥？〔末〕酸梅十個。詩云：摽有梅，其實七兮。又說：其實三兮。三個打七個，是十個。此方單醫男女過時思酸之病。〔旦嘆介〕〔貼〕還有呢？〔末〕天南星三個。〔貼〕可少？〔末〕再添些。詩云：三星在天。專醫男女及時之病。〔貼〕還有呢？〔末〕俺看小姐一肚子火，你可抹净一個大馬桶，待我用梔子仁當歸瀉下他火來，這也是依方，之子于歸，言秣其馬。〔貼〕師父，這馬不同那「其馬」。〔末〕一樣髀鞦窟洞下。〔旦〕好個傷風切藥陳先生。〔貼〕做的按月通經陳媽媽。〔旦〕師父不可執方，還是診脈爲穩。〔末看脈錯按旦手背介〕〔貼〕師父，討個轉手。〔末〕女人反此背看之，正是王叔和脈訣。也罷，順手看是。〔脈介〕咳！小姐脈息，到這個分際了。

【金索掛梧桐】他人才忒整齊，脈息恁微細。小小香閨，爲甚傷憔悴？〔起介〕春香呵，似他這傷春怯夏肌，好扶持，病煩人容易傷秋意。小姐，我去咀藥來。〔旦嘆介〕師父，少不得情栽了竅髓針難入，病躲在煙花你藥怎知？〔泣介〕承尊覷，何時何日，來看這女顏回？〔合〕病中身怕的是驚疑，且將息休煩絮。

〔旦〕師父，且自在，送不得你了。可曾把俺八字推算麼？〔末〕算來要過中秋好。當生止有八個字，起死曾無三世醫。〔下〕〔貼〕一個道姑走來了。〔淨上〕不聞弄玉吹簫去，又見嫦娥竊藥來。自家紫陽宮石道姑便是。承杜老夫人呼喚，替小姐禳解。不知害的甚病？〔見貼介〕〔貼〕姑姑爲何而來？〔淨〕吾乃紫陽宮石道姑，承夫人命，替小姐禳解。〔淨〕爲誰來？〔貼〕尷尬病。〔淨〕爲誰來？〔貼〕後花園耍來。〔淨舉三指，貼搖頭介〕〔淨舉五指，貼又搖頭介〕〔淨〕咳！你說是三是五？與他做主。〔貼〕你自問他去。〔淨見旦介〕小姐，小姐，道姑稽首那。〔旦作驚介〕那裏道姑？〔淨〕紫陽宮石道姑，夫人有召，替小姐保禳。聞說小姐在後花園着魅，我不信。

【前腔】你惺惺的怎着迷，設設的渾如魅。〔旦作魘語介〕我的人那。〔淨貼背介〕你聽他唸唸呢呢，作的風風勢。是了，身邊帶有個小符來。〔取旦釵挂小符作咒介〕赫赫揚揚，日出東方，此符屏卻惡夢，辟除不祥，急急如律令敕！〔插釵介〕這釵頭小篆符，眠坐莫教離，把閒神野夢都迴避。〔旦醒介〕咳，這符敢不中。我那人呵，須不是依花附木廉纖鬼，咱做的弄影團風抹媚癡。〔净〕再癡時，請個五雷打他。〔旦〕些兒意，正待攜雲握雨，你卻用掌心雷。〔合前〕

〔净〕還分明説與，起個三丈高咒旛兒。〔旦〕待説個甚麼子好？

【尾聲】〔旦〕依稀則記的箇柳和梅，姑姑，你也不索打符樁掛竹枝，則待我冷思量一星星咒向夢兒裏。〔貼扶旦下〕

〔貼〕緑慘雙蛾不自持，步非煙　〔净〕道家妝束厭禳時。薛　能

〔旦〕如今不在花紅處，僧懷濟　〔合〕爲報東風且莫吹。李　涉

【校】

① 春去偌多時，文林本、朱墨本俱作「春歸是幾時」。② 只顧衰，朱墨本作「積漸摧」。

③【金落索】當作【金絡索】，南詞新譜卷一八云：「【金絡索】或作【金索掛梧桐】，非也」。可見俗有此二名。本齣四曲，分題兩名。依曲牌舊例譜曲，原不必細考。

北【點絳脣】①〔净扮李全引衆上〕世擾羶風，家傳雜種。刀兵動，這賊英雄，比不得穿墻洞。

野馬千蹄合一羣，眼看江海盡風塵。漢兒學得胡兒語，又替胡兒罵漢人。自家李全是也，本貫楚州人氏。身有萬夫不當之勇，南朝不用，去而爲盜，以五百人出没江淮之間，正無歸着。所幸大金皇帝，遥封俺爲溜金王，央我騷擾淮揚，看機進取。奈我多勇少謀，所喜妻子楊氏娘娘，能使一條梨花槍，萬人無敵。夫妻上陣，大有威風。則是娘娘有些喫醋，但是擄的婦人，都要送他帳下。便是軍士們，都只畏懼他。正是：山妻獨霸蛇吞象，海賊封王魚變龍。

【番卜算】〔丑扮楊婆持槍上〕百戰惹雌雄，血映燕支重。〔舞介〕一枝槍灑落花風，點點梨花弄。

〔見舉手介〕大王千歲！奴家甲胄在身，不拜了。〔净〕娘娘，你可知大金皇帝封我做溜金王？〔丑〕怎麽叫做溜金王？〔净〕溜者，順也。〔丑〕封你何事？〔净〕央俺騷擾淮揚三年，待俺兵糧齊集，一舉渡江，滅了趙宋，那時還封我爲帝哩。〔丑〕有這等事，恭喜了！借此號令，買馬招軍。

【六幺令】　如雷喧鬨，緊轅門畫鼓鼕鼕，哨尖兒飛過海雲東。〔合〕好男女，坐當中，淮揚草木都驚動。

【前腔】　聚糧收衆，選高蹄戰馬青驄，閃盔纓斜簇玉釵紅。〔合前〕

〔净〕群雄競起向前朝，杜甫　折戟沈沙鐵未銷。杜牧

平原好牧無人放，曹唐　白草連天野火燒。王維

【校】

① 絳，原誤作「紅」，據各本改。

第二十齣　鬧　殤

【金瓏璁】①〔貼上〕連宵風雨重，多嬌多病愁中。仙少效，藥無功。

顰有爲顰，笑有爲笑。不顰不笑，哀哉年少！春香侍奉小姐，傷春病到深秋。今夕中秋佳節，風雨蕭條，小姐病轉沈吟，待我扶他消遣。正是：從來雨打中秋月，更值風搖長命燈。〔下〕

【鵲橋仙】〔貼扶病旦上〕拜月堂空，行雲徑擁，骨冷怕成秋夢。世間何物似情濃？整一片斷魂心痛。

〔旦〕枕函敲破漏聲殘，似醉如呆死不難。一段暗香迷夜雨，十分清瘦怯秋寒。春香，病境沈沈，不知今夕何夕？〔貼〕八月半了。〔旦〕哎也！是中秋佳節哩。老爺奶奶都爲我愁煩，不曾玩賞了。〔貼〕這都不在話下了。〔旦〕聽見陳師父替我推命，要過中秋。看看病勢轉沈，今宵欠好，你爲我開軒一望，月色如何？〔貼開窗〕〔旦望介〕

【集賢賓】〔旦〕海天悠問冰蟾何處湧？玉杵秋空②，憑誰竊藥把嫦娥奉？甚西風吹夢無蹤。人去難逢，須不是神挑鬼弄。在眉峯，心坎裏別是一般疼痛。〔悶介〕

【前腔】〔貼〕甚春歸無端厮和哄，霧和煙兩不玲瓏。算來人命關天重，會消詳、

直恁悤悤。爲着誰儂，俏樣子等閒抛送？待我謊他，姐姐，月上了。月輪空，敢蘸破你一牀幽夢。

〔旦望嘆介〕輪時盼節想中秋，人到中秋不自由。奴命不中孤月照，殘生今夜雨中休。

【前腔】你便好中秋月兒誰受用？翦西風淚雨梧桐。楞生瘦骨加沈重，趲程期是那天外哀鴻。草際寒蛩，撒刺刺紙條窗縫。〔旦驚作昏介〕冷鬆鬆，軟兀刺四梢難動。

〔貼驚介〕小姐冷厥了！夫人有請。〔老旦上〕百歲少憂夫主貴，一生多病女兒嬌。我的兒，病體怎生了？〔貼〕奶奶，欠好，欠好。〔老〕可怎了！

【前腔】不隄防你後花園閒夢銃，不分明再不惺忪，睡臨侵打不起頭梢重。〔泣介〕恨不呵早早乘龍。夜夜孤鴻，活害殺俺翠娟娟雛鳳。一場空，是這答裏把娘兒命送。

【囀林鶯】〔旦醒介〕甚飛絲繾的陽神動，弄悠揚風馬丁冬。〔泣介〕娘，兒拜謝你了！〔拜跌介〕從小來覰的千金重，不孝女孝順無終。娘呵，此乃天之數也。當今生花開一紅，願來生把萱椿再奉。〔衆泣介〕〔合〕恨西風，一霎無端，碎綠摧紅。

【前腔】〔老〕並無兒蕩得個嬌香種，繞娘前笑眼歡容。但成人索把俺高堂送，恨天涯老運孤窮。兒呵，暫時間月直年空，返將息你這心煩意冗。〔合前〕

〔旦〕娘，你女兒不幸，作何處置？〔老〕奔你回去也，兒。

【玉鶯兒】③〔旦泣介〕旅櫬夢魂中，盼家山千萬重。〔老〕便遠也去。〔旦〕是不是，聽女孩兒一言：這後花園中一株梅樹，兒心所愛，但葬我梅樹之下可矣。〔老〕這是怎的來？〔旦〕做不的病嬋娟桂窟裏長生，則分的粉骷髏向梅花古洞。〔老泣介〕看他强扶頭淚濛，冷淋心汗傾，不如我先他一命無常用。〔合〕恨蒼穹，妬花風雨，偏在月明中。

〔老〕還去與爹講，廣做道場也，兒。銀蟾謾搗君臣藥，紙馬重燒子母錢。〔下〕〔旦〕春香，咱可有迴生之日否？

【前腔】〔嘆介〕你生小事依從，我情中你意中。春香，你小心奉事老爺奶奶。〔貼〕這是當的了。〔旦〕春香，我記起一事來：我那春容，題詩在上，外觀不雅。葬我之後，盛着紫檀匣兒，藏在太湖石底。〔貼〕這是主何意兒？〔旦〕有心靈翰墨春容，儻直那人知重。〔貼〕姐姐寬心。你如今不幸，孤墳獨影；肯將息起來，稟過老爺，但是姓梅姓柳秀才招選一個，同生同死，可不美哉！〔旦〕怕等不得了。哎喲！哎喲！〔貼〕這病根兒怎攻？心上醫怎逢？〔旦〕春香，我亡後你常向靈位前叫喚我一聲兒。〔貼〕他一星星説向咱傷情重。〔合前〕

〔旦昏介〕〔貼〕不好了！不好了！老爺奶奶快來。

【憶鶯兒】〔外老旦上〕鼓三鼕，愁萬重，冷雨幽窗燈不紅，聽侍兒傳言女病凶。〔貼泣介〕我的小姐！小姐！〔外老同泣介〕我的兒呵！你捨的命終，抛的我途窮，當初只望把爹娘送。〔合〕恨恩恩，萍蹤浪影，風翦了玉芙蓉。〔旦作醒介〕〔外〕快甦醒，兒，爹在此。〔旦作看外介〕哎喲！爹爹，扶我中堂去罷。〔外〕扶你也，兒。〔扶介〕

【尾聲】〔旦〕怕樹頭樹底不到的五更風，和俺小墳邊立斷腸碑一統。爹，今夜是中秋？〔外〕是中秋也，兒。〔旦〕禁了這一夜雨，〔嘆介〕怎能勾月落重生燈再紅？〔並下〕

〔貼哭上〕我的小姐！我的小姐！天有不測之風雲，人有無常之禍福。我小姐一病傷春死了，痛殺了我家老爺，我家奶奶。列位看官們怎了也？待我哭他一會：

【紅衲襖】小姐，再不叫咱把領頭香心字燒，再不叫咱把剔花燈紅淚繳，再不叫咱拈花側眼調歌鳥，再不叫咱轉鏡移肩和你點絳桃。想着你夜深深放翦刀，曉清清臨畫稿。提起那春容，被老爺看見了，怕奶奶傷情，分付殉了葬罷。俺想小姐臨終之言，依舊向湖山石兒靠也，怕等得個拾翠人來把畫粉銷。

老姑姑你也來了。〔净上〕你哭得好，我也來幫你。

【前腔】春香姐，再不叫你煖朱脣學弄簫，〔貼〕爲此。〔净〕再不和你蕩湘裙鬬草。〔貼〕便是。〔净〕小姐不在，春香姐也鬆泛多少。〔貼〕怎見得？〔净〕再不要你冷温存熱絮叨，再不要得你夜眠遲朝起的早。〔貼〕這也慣了。〔净〕還有省氣力④的所在，鷄眼睛不用你做嘴兒挑，馬子兒不用你隨鼻兒倒。〔貼啐介〕〔净〕還一件，小姐青春有了，没時間做出些兒也，那老夫人呵，少不的把你後花園打折腰。

〔貼〕休胡説！老夫人來也。〔老上哭介〕我的親兒！

【前腔】每日逩娘身有百十遭，並不見你向人前輕一笑。他背熟的班姬四誡從頭學，不要得孟母三遷把氣淘。也愁他軟苗條忒恁嬌，誰料他病淹煎真不好。〔哭介〕從今後誰把親娘叫也？一寸肝腸做了百寸焦。

〔老悶倒〕〔貼驚叫介〕老爺，痛殺了奶奶也！快來，快來。〔外哭上〕我的兒也！呀！原來夫人悶倒在此。

【前腔】夫人，不是你坐孤辰把子宿囂，則是我坐公堂冤業報。較不似老倉公多女好，撞不着賽盧醫他一病蹻。天天，似俺頭白中年呵，便做了大家緣何處消，見放着小門楣生折倒。夫人，你且自保重。便作你寸腸千斷了也，則怕女兒呵，他望帝魂歸不可招。

〔丑院公上〕人間舊恨驚鴉去，天上新恩喜鵲來。稟老爺：朝報高陞。〔外看報介〕吏部一本：奉聖旨金寇南窺，南安知府杜寶，可陞安撫使，鎮守淮陽。即日起程，不得違誤。欽此！〔嘆介〕夫人，朝旨催人北往，女喪不便西歸。院子，請陳齋長講話。〔丑〕老相公有請。〔末上〕彭殤真一壑，弔賀每同堂。

〔見介〕〔外〕陳先生，小女長謝你了。〔末哭介〕正是。苦傷小姐仙逝，陳最良四顧無門；所喜老公相喬遷，陳最良一發失所。〔衆哭介〕〔外〕陳先生，有事商量：學生奉旨，不得久停，因小女遺言，就葬後園梅樹之下。又恐不便後官居住，已分付割取後園，起座梅花庵觀，安置小女神位，就着這石道姑焚修看守。那道姑可承應的來？〔浄跪介〕老道婆添香换水，但往來看顧，還得一人。〔老〕就煩陳齋長爲便。〔末〕老夫人有命，情願效勞。〔老〕老爺，須置些祭田纔好。〔外〕有漏澤院二頃虚田，撥資香火。〔末〕這漏澤院田，就漏在生員身上。〔浄〕咱號道姑，堪收稻穀。你是陳絶糧，漏不到你。〔末〕秀才口喫十一方，你是姑姑，我還是孤老，偏不該我收糧。〔外〕不消争，陳先生收給。陳先生，我在此數年，優待學校。〔末〕都知道。便是老公相高陞，舊規有諸生遺愛記，生祠碑文，到京伴禮送人爲妙。〔浄〕陳絶糧，遺愛記是老爺遺下與令愛作表記麽？〔末〕是老公相政跡歌謡，甚麽令愛？〔浄〕怎麽叫做生祠？〔末〕大祠宇塑老爺像供養，門上寫着杜公之祠。〔浄〕這等，不如就塑小姐在傍，我普同供養。〔外惱介〕胡説！但是舊規，我通不用了。

【意不盡】陳先生，老道姑，咱女墳兒三尺暮雲高，老夫妻一言相靠。不敢望時時看守，則清明寒食一碗飯兒澆。

〔外〕魂歸冥漠魄歸泉，朱　褒　〔老〕使汝悠悠十八年。曹　唐
〔末〕一叫一回腸一斷，李　白　〔合〕如今重説恨綿綿。張　籍

【校】

①【金瓏璁】應有八句，下缺四句。　②此句本爲六字句。　③【玉鶯兒】，南詞新譜卷一八作【黄鶯玉肚兒】，謂【黄鶯兒】犯【玉抱肚】。　④原無「力」字，據朱墨本補。

第二十一齣　謁　遇

【光光乍】〔老旦扮僧上〕一領破袈裟，香山嶴裏巴。多生多寶多菩薩，多多照證光光乍。

小僧廣州府香山嶴多寶寺一個住持。這寺原是番鬼們建造，以便迎接收寶官員。茲有欽差苗爺任滿，祭寶於多寶菩薩位前，不免迎接。

【掛真兒】〔浄扮苗舜賓，末扮通事，外、貼扮皁卒，丑扮番鬼上〕半壁天南開海汊，向真珠窟裏排衙。〔僧接介〕〔合〕①廣利神王，善財、天女，聽梵放海潮音下。

〔浄〕銅柱珠崖道路難，伏波横海舊登壇。越人自貢珊瑚樹，漢使何勞獬豸冠？自家欽差識寶使臣苗舜賓便是。三年任滿，例當祭賽多寶菩薩。通事那裏？〔末見介〕〔丑見介〕伽瑯喇。〔老旦見介〕〔浄〕叫通事，分付番回獻寶。〔末〕俱已陳設。〔浄起看寶介〕奇哉寶也！真乃磊落山川，精熒日月，多寶寺不虛名矣。看香。〔内鳴鐘〕〔浄禮拜介〕

【亭前柳】三寶唱三多，七寶妙無過。莊嚴成世界，光彩遍娑婆。甚多，功德無邊闊。〔合〕領拜南無多得寶，寶多羅，多羅。

第二十一齣　謁遇

〔净〕和尚，替番回海商祝贊一番。

【前腔】〔老僧〕大海寶藏多，船舫遇風波。商人持重寶，險路怕經過。刹那，念彼觀音脱。〔合前〕

【掛真兒】〔生上〕望長安西日下②，偏吾生海角天涯。愛寶的喇嘛，抽珠的佛法，滑琉璃兩下難拿。

自笑柳夢梅，一貧無賴，棄家而遊。幸遇欽差，寺中祭寶，託詞進見。倘言話中間，可以打動，得其賑援，亦未可知？〔見外介〕〔生〕煩大哥通報一聲，廣州府學生員柳夢梅，來求看寶。〔報介〕〔净〕朝廷禁物，那許人觀！既係斯文，權請相見。〔見介〕〔生〕南海開珠殿，〔净〕西方掩玉門。〔生〕剖懷俟知己，〔净〕照乘接賢人。敢問秀才以何至此？〔生〕小生貧苦無聊，聞得老大人在此賽寶，願求一觀，以開懷抱。〔净笑介〕既逢南土之珍，何惜西崑之祕，請試一觀。〔净引生看寶介〕〔生〕明珠美玉，小生見而知之。其間數種，未委何名，煩老大人一一指教。

【駐雲飛】〔净〕這是星漢神沙；這是煑海金丹和鐵樹花。少什麽③貓眼精光射，母碌通明差。嗏，這是靺鞨柳金芽；這是温涼玉斝；這是吸月的蟾蜍，和陽燧冰盤化。〔生〕我廣南有明月珠，珊瑚樹。〔净〕徑寸明珠等讓他，便是幾尺珊瑚碎了他。

〔生〕小生不遊大方之門，何因覩此！

【前腔】天地精華，偏出在番回到帝子家。稟問老大人：這寶來路多遠？〔净〕有遠三萬里的，至少也有一萬多程。〔生〕這般遠，可是飛來走來？〔净笑介〕那有飛走而至之理？只因朝廷重價購求，自來貢獻。〔生嘆介〕老大人，這寶物蠢爾無知，三萬里之外，尚然無足而至。生員柳夢梅，滿胸奇異，到長安三千里之近，倒無人購取，有脚不能飛。他重價高懸下，那市舶能奸詐。嗏，浪把寶船撑。〔净〕疑惑這寶物欠真麽？〔生〕老大人，便是真，飢不可食，寒不可衣。看他似虚舟飄瓦。〔净笑介〕依秀才說，何爲真寶？〔生〕不欺，小生到是個真正獻世寶。我若載寶而朝，世上應無價。〔净笑介〕則怕朝廷之上，這樣獻世寶也多着。〔生〕但獻寶龍宫笑殺他，便鬭寶臨潼也賽得他。

〔净〕這等，便好獻與聖天子了。〔生〕寒儒薄相，要伺候官府，尚不能勾，怎見的聖天子？〔净〕你不知，到是聖天子好見。〔生〕則三千里路資難處。〔净〕一發不難，古人黄金贈壯士，我將衙門常例銀兩，助君遠行。〔生〕果爾，小生無父母妻子之累，就此拜辭。〔净〕左右，取書儀，看酒。〔丑上〕廣南愛喫荔枝酒，直北偏飛榆筴錢。酒到，書儀在此。〔净〕路費，先生收下。〔生〕謝了！〔净送酒介〕

【三學士】你帶微醺走出這香山嶴，向長安有路榮華。〔生〕無過獻寶當今駕，撒去收來再似他。〔合〕驟金鞭及早把荷衣掛，望歸來，錦上花。

【前腔】〔生〕則怕呵重瞳有眼蒼天瞎，似波斯賞鑒無差。〔净〕由來寶色無真假，只在淘金的會揀沙。〔合前〕

〔生〕告行了。

【尾聲】你贈壯士黄金氣色佳。〔净〕一杯酒酸寒奮發。則願你呵，寶氣冲天海上槎。

〔生〕烏紗巾上是青天，司空圖　〔净〕俊骨英才氣儼然。劉長卿

〔生〕聞道金門堪濟美④，張南史　〔净〕臨行贈汝繞朝鞭。李　白

【校】

①〔合〕，原作〔净〕。　②據南詞新譜，首句應有七字。　③「少」字據朱墨本補。

④堪濟美，全唐詩卷二九六張南史江北春望贈皇甫補闕，作「堪避世」。

第二十二齣　旅寄

【搗練子】①〔生傘袱，病容上〕人出路，鳥離巢。〔内風聲介〕攪天風雪夢牢騷，這幾日精神寒凍倒。

香山嶼裏打包來，三水船兒到岸開。要寄鄉心值寒歲，嶺南南上半枝梅。我柳夢梅，秋風拜别中郎，因循親友辭餞，離船過嶺，早是暮冬。不隄防嶺北風嚴，感了寒疾，又無掃興而回之理。一天風雪，望見南安，好苦也！

【山坡羊】樹槎牙餓鳶驚叫，嶺迢遥病魂孤弔。破頭巾雹打風篩，透衣單傘做張兒哨。路斜抄，急没個店兒捎。雪兒呵，偏則把白面書生奚落，怎生冰凌斷橋，步高低蹬着？好了，有一株柳，酬將過去。方便處柳跎腰。〔扶柳過介〕虚囂，儘枯楊命一條。蹊蹺，滑喇沙跌一交。〔跌介〕

【步步嬌】〔末上〕俺是個卧雪先生没煩惱，背上驢兒笑，心知第五橋。那裏開年，有齋村學。〔生叫哎喲介〕〔末〕怎生來人怨語聲高？〔看介〕呀，甚城南破瓦窑，閃下個精寒料。

〔生〕救人！救人！〔末〕我陳最良，爲求館衝寒到此。彩頭兒恰遇着弔水之人，且由他去。〔生又叫介〕救人！〔末〕聽説救人，那裏不是積福處，俺試問他。〔問介〕你是何等之人，失脚在此？〔生〕俺是讀書之人。〔末〕委是讀書之人，待俺扶起你來。〔末扶生，相跌，諢介〕〔末〕請問何方至此？〔生〕我孤身

【風入松】〔生〕五羊城一葉過南韶，柳夢梅來獻寶。〔末〕有何寶貨？〔生〕我孤身取取試長安道，犯嚴寒少衾單病了。没揣的逗着斷橋溪道，險跌折柳郎腰。

〔末〕你自揣高中的，方可去受這等辛苦。〔生〕不瞞説，小生是個擎天柱，架海梁。〔末笑介〕卻怎生凍折了擎天柱？撲倒了紫金梁？這也罷了，老夫頗識醫理，邊近有梅花觀，權將息，度歲而行。

【前腔】尾生般抱柱正題橋，做倒地文星佳兆。論草包似俺堪調藥，暫將息梅花觀好。〔生〕此去多遠？〔末指介〕看一樹雪垂垂如笑，墻直上繡旛飄。

〔生〕這等，望先生引進。

〔生〕三十無家作路人，薛　據
〔末〕與君相見即相親。王　維
〔生〕華陽洞裏仙壇上，白居易
〔合〕似近東風别有因。羅　隱

【校】

①【搗練子】，應有五句，缺一句。

第二十三齣　冥　判

北【點絳脣】〔净扮判官，丑扮鬼持筆簿上〕十地宣差，一天封拜。閻浮界，陽世栽埋，又把俺這裏門桯邁。

自家十地閻羅王殿下一個胡判官是也。原有十位殿下，因陽世趙大郎家和金達子争占江山，損折衆生，十停去了一停。因此玉皇上帝，照見人民稀少，欽奉裁減事例。九州九個殿下，單減了俺十殿下之位，印無歸着。玉帝可憐見下官正直聰明，着權管十地獄印信。今日走馬到任，鬼卒夜叉，兩傍刀劍，非同容易也。〔丑捧筆介〕新官到任，都要這筆判刑名，押花字，請新官喝采他一番。〔净看筆介〕鬼使，捧了這筆，好不干係也。

【混江龍】這筆架在那落迦山外，肉①蓮花高聳案前排。捧的是功曹令史，識字當該。〔丑〕筆管兒呢？〔净〕筆管兒，是手想骨脚想骨竹筒般剉的圓滴溜。〔丑〕筆毫？〔净〕筆毫呵，是牛頭鬚夜叉髮鐵綫兒揉定赤支毸。〔丑〕判爺上的選了。〔净〕這筆頭公，是遮須國選的人才。〔丑〕有甚名號？〔净〕這管城子，在夜郎城受了封拜。〔丑〕判爺興哩。〔净作笑舞介〕嘯一聲支兀另漢鍾馗其冠不正，舞一回疎喇沙斗河魁近墨者黑。〔丑〕喜哩？〔净〕

第二十三齣　冥　判

喜時節渿河橋題筆兒要去。〔丑〕悶呵？〔净〕悶時節鬼門關投筆歸來。〔丑〕判爺可上榜來？〔净〕俺也曾考神祇，朔望旦名題天榜；〔丑〕可會書來？〔净〕攝星辰井鬼宿，俺可也文會書齋。〔丑〕判爺高才。〔净〕做弗迭鬼僊才，白玉樓摩空作賦；陪得過風月主，芙蓉城遇晚書懷。便寫不盡四大洲轉輪日月，也差的着五瘟使號令風雷。〔丑〕判爺見有地分？〔净〕有地分，則合北斗司閻浮殿立俺邊傍；没衙門，卻怎生東嶽觀城隍廟也塑人左側？〔丑〕讓誰？〔净〕便百里城高捧手，讓大菩薩好相莊嚴乘坐位；〔丑〕惱誰？〔净〕怎三尺土低分氣，對小鬼卒清奇古怪立基階？〔丑〕紗帽古氣些。〔净〕但站脚，一管筆一本簿塵泥軒冕；〔丑〕筆乾了？〔净〕要潤筆，十錠金十貫鈔紙陌錢財。〔丑〕點鬼簿在此。〔净〕則見没掂三展花分魚尾册，無賞一掛日子虎頭牌。真乃是鬼董狐落了款，春秋傳某年某月某日下崩薨葬卒大注脚；假如他支祈獸上了樣，把禹王鼎各山各水各路上魍魎魑魅細分腮。〔丑〕待俺磨墨。〔净〕看他子時硯，忔忔察察烏龍蘸眼顯精神；〔丑〕鷄唱了。〔净〕聽丁字碑，冬冬登登金鷄翦夢追魂魄。〔丑〕稟爺點卷。〔净〕但點上格子眼，串出四萬八千三界有漏人名，烏星砲粲；怎按下筆尖頭，插入一百四十二重無間地獄，鐵樹花開？〔丑〕大押花。〔净〕哎也！押花字止不過，發落簿剉燒春磨一靈兒；〔丑〕少一個請字。〔净〕登請書左則是，那虛無堂癱癆蠱膈四正客。〔丑〕弔起稱竿來。〔衆卒應介〕〔净〕髮稱竿看業重身輕，衡石程書秦獄吏；〔内作哎喲，叫饒也苦也介〕〔丑〕隔壁九殿下拷鬼。〔浄〕肉鼓吹聽神啼鬼哭，毛鉗刀筆漢喬才。這時節呵，你便是没關節包待制「人厭其笑」；〔哭介〕恁風景，誰聽的無棺槨顔修文「子哭之哀」。〔丑〕判爺害怕哩。〔浄惱介〕哎！樓炭經是俺六科五判，刀花樹是俺九棘三槐。臉婁搜風髯赳赳，眉剔豎電目崖崖。少不得中書鬼考，録事神差。比着陽世那金州判、銀府判、銅司判、鐵院判白虎臨官，一樣價打貼刑名催伍作；實則俺陰府裏注湮生、牒化生、准胎生、照卵生青蠅報赦，十分的磊齊功德轉三階。威凜凜人間掌命，顫巍巍天上消災。

叫掌案的，這簿上開除都也明白，還有幾宗人犯，應該發落了？〔貼扮吏上介〕人間勾令史，地下列功曹。稟爺：因缺了殿下，地獄空虚三年，則有枉死城中輕罪男子四名。趙大、錢十五、孫心、李猴兒；女囚一名，杜麗娘；未經發落。〔浄〕先取男犯四名。〔生末外老旦扮四犯，丑押上〕〔丑〕男犯帶到。〔浄點名介〕趙大有何罪業，脱在枉死城？〔生〕鬼犯没甚罪，生前喜歌唱些。〔浄〕一邊去。叫錢十五。〔末〕鬼犯無罪，則是做了一個小小房兒，沈香泥壁。〔浄〕一邊去。叫孫心。〔老旦〕鬼犯些小年紀，好使些花粉錢。〔浄〕叫李猴兒。〔外〕鬼犯是有些罪，好男風。〔丑〕是真。便在地獄裏，還勾上這小孫兒。〔浄惱介〕誰叫你插嘴！起去伺候。〔做寫簿介〕叫鬼犯聽發落。〔四犯同跪介〕〔浄〕俺初權印，且不用刑。赦你們卵生去罷。〔外〕鬼犯們稟問恩爺：這個卵是甚麽卵？若是回回卵，又生在邊方去了。〔浄〕哇！還想人身，向彈殼裏走去。〔四犯泣介〕哎！被人宰了。〔浄〕也罷，不教陽間宰喫你。趙大喜歌唱，貶做黄鶯兒。〔生〕好了，做鶯鶯小姐去。〔净〕錢十五住香泥房子，也罷，准你去燕窠裏受用，做個小小燕兒。〔末〕恰好做飛燕娘娘哩。〔净〕孫心使花粉錢，做個蝴蝶兒。〔外〕鬼犯便和孫心同做蝴蝶去。〔净〕你是那好男風的李猴，着你做蜜蜂兒去，屁窟裏長拖一個針。〔外〕哎喲，叫俺釘誰去？〔净〕四個蟲兒聽分付：

【油葫蘆】蝴蝶呵，你粉版花衣勝翦裁。蜂兒呵，你忒利害，甜口兒咋着細腰捱。燕兒呵，斬香泥弄影鉤簾内。鶯兒呵，溜笙歌警夢紗窗外。恰好個花間四友，無拘礙。則陽世裏孩子們輕薄，怕彈珠兒打的呆，扇梢兒撲的壞。不枉了你宜題入畫高人愛，則教你翅捎兒展將春色鬧場來。

〔外〕俺做蜂兒的不來，再來釘腫你個判官腦。〔净〕討打！〔外〕可憐見小性命。〔净〕罷了，順風兒放去。快走，快走。〔噀氣介〕〔四人做各色飛下〕〔净做向鬼門噓氣吹聲介〕〔丑帶旦上〕天台有路難逢俺，地獄無情欲恨誰？女鬼見。〔净擡頭背介〕這女鬼到有幾分顔色。

【天下樂】猛見了蕩地驚天女俊才，咍也麽咍，來俺裏來。〔旦叫苦介〕〔净〕血盆中叫苦觀自在。〔丑耳語介〕判爺，權收做個後房夫人。〔净〕咗！有天條，擅用囚婦者斬。則你那小鬼頭胡亂篩，俺判官頭何處買？〔旦叫哎介〕〔净回身〕是不曾見他粉油頭忒弄色。叫那女鬼上來。

【那吒令】瞧了你潤風風粉腮，到花臺酒臺？溜些些短釵，過歌臺舞臺？笑微微美懷，住秦臺楚臺？因甚的病患來？是誰家嫡支派？這顏色不像似在泉臺。

〔旦〕女囚不曾過人家，也不曾飲酒，是這般顏色。則爲在南安府後花園梅樹之下，夢見一秀才，折柳一枝，要奴題詠。留連宛轉，甚是多情。夢醒來沈吟，題詩一首：他年若傍蟾宫客，不是梅邊是柳邊。爲此感傷，壞了一命。〔净〕謊也！世有一夢而亡之理？

【鵲踏枝】一溜溜女嬰孩，夢兒裏能寧奈。誰曾掛圓夢招牌？誰和你拆字道白？哈也麽哈，那秀才何在？夢魂中曾見誰來？

〔旦〕不曾見誰，則見朵花兒閃下來，好一驚。〔净〕唤取南安府後花園花神勘問。〔丑叫介〕〔末扮花神上〕紅雨數番春落魄，山香一曲女消魂。老判大人請了。〔舉手介〕〔净〕花神，這女鬼説是後花園一纏縣夢，爲花飛驚閃而亡，可是？〔末〕是也。他與秀才夢的纏縣，偶爾落花驚醒，這女子慕色而亡。〔净〕敢便是你花神假充秀才，迷誤人家女子？〔末〕你説俺着甚迷他來？〔净〕你説俺陰司裏不知道呵。

【後庭花滚】但尋常春自在，恁司花忒弄乖。眨眼兒偷元氣艷樓臺，克性子費春工淹酒債。恰好九分態，你要做十分顏色。數着你那胡弄的花色兒來。②〔末〕便數來：碧桃花。〔净〕他惹天台。〔末〕紅梨花。〔净〕扇妖怪。〔末〕金錢花。〔净〕下的財。〔末〕繡球花。〔净〕結的綵。〔末〕芍藥花。〔净〕心事諧。〔末〕木筆花。〔净〕寫明白。〔末〕水菱花。〔净〕宜鏡臺。〔末〕玉簪花。〔净〕堪插戴。〔末〕薔薇花。〔净〕露渲腮。〔末〕臘梅花。〔净〕春點額。〔末〕翦春花。〔净〕羅袂裁。〔末〕水仙花。〔净〕把綾襪踹。〔末〕燈籠花。〔净〕紅影篩。〔末〕酴醿花。〔净〕春醉態。〔末〕金盞花。〔净〕做合卺杯。〔末〕錦帶花。〔净〕做裙褶帶。〔末〕合歡花。〔净〕頭懶擡。〔末〕楊柳花。〔净〕腰恁擺。〔末〕凌霄花。〔净〕陽壯的咍。〔末〕辣椒花。〔净〕把陰熱窄。〔末〕含笑花。〔净〕情要來。〔末〕紅葵花。〔净〕日得他愛。〔末〕女蘿花。〔净〕纏的歪。〔末〕紫薇花。〔净〕癢的怪。〔末〕宜男花。〔净〕人美懷。〔末〕丁香花。〔净〕結半躧。〔末〕豆蔻花。〔净〕含着胎。〔末〕奶子花。〔净〕摸着奶。〔末〕梔子花。〔净〕知趣乖。〔末〕柰子花。〔净〕恣情柰。〔末〕枳殼花。〔净〕好處揩。〔末〕海棠花。〔净〕春困怠。〔末〕孩兒花。〔净〕呆笑孩。〔末〕姊妹花。〔净〕偏妬色。〔末〕水紅花。〔净〕了不開。〔末〕瑞香花。〔净〕誰要採？〔末〕旱蓮花。〔净〕憐再來。〔末〕石榴花。〔净〕可留得在？幾椿兒你自猜。哎！把天公無計策。你道爲甚麼流動了女裙釵？劃地裏牡丹亭，又把他杜鵑花魂魄灑。

〔末〕這花色花樣，都是天公定下來的，小神不過遵奉欽依，豈有故意勾人之理？且看多少女色，那有玩花而亡？〔净〕你說自來女色，没有玩花而亡。數你聽着：

【寄生草】花把青春賣，花生錦繡災。有一箇夜舒蓮扯不住留仙帶，一箇海棠絲翦不斷香囊怪，一箇瑞香風趕不上非煙在。你道花容那箇玩花亡，可不道你這花神罪業隨花敗？

〔末〕花神知罪，今後再不開花了。〔净〕花神，俺這裏已發落過花間四友，付你收管。這女囚慕色而亡，也貶在鶯燕隊裏去罷。〔末〕稟老判，此女犯乃夢中之罪，如曉風殘月；且他父親爲官清正，單生一女，可以耽饒。〔净〕父親是何人？〔旦〕父親杜寶知府，今陞淮揚總制之職。〔净〕千金小姐哩。也罷，杜老先生分上，當奏過天庭，再行議處。〔旦〕就煩恩官替女犯查查，怎生有此傷感之事？〔净〕這事情，注在斷腸簿上。〔旦〕勞再查女犯的丈夫，還是姓柳姓梅？〔净〕取婚姻簿查來。〔作背查介〕是有個柳夢梅，乃新科狀元也，妻杜麗娘，前係幽歡，後成明配，相會在紅梅觀中。不可泄漏。〔回介〕有此人，和你姻緣之分。我今放你出了枉死城，隨風遊戲，跟尋此人。〔末〕杜小姐，拜了老判。〔旦叩頭介〕拜謝恩官，重生父母！則俺那爹娘在揚州，可能彀一見？〔净〕使得。

【幺篇】他陽禄還長在，陰司數未該。禁煙花一種春無賴，近柳梅一處情無外，望椿萱一帶天無礙。則這水玻璃堆起望鄉臺，可哨見紙銅錢夜市揚州界。

花神，可引他望鄉臺隨意觀玩。〔旦隨末登臺，望揚州哭介〕那是揚州，俺爹爹奶奶呵，待飛將去。〔末扯住介〕還不是你去的時節。〔净〕下來聽分付：功曹，給一紙遊魂路引去；花神，休壞了他的肉身也。〔旦〕謝恩官！

【賺尾】〔净〕欲火近乾柴，且留的青山在。不可被雨打風吹日曬，則許你傍月依星將天地拜。一任你魂魄來回，脫了獄省的勾牌，接着活免的投胎。那花間四友你

差排，叫鶯窺燕猜，倩蜂媒蝶採，敢守的那破棺星圓夢那人來。〔下〕

〔末〕小姐，回後花園去來。

〔末〕醉斜烏帽髮如絲，許渾　〔旦〕盡日靈風不滿旗。李商隱

〔净〕年年檢點人間事，羅鄴　〔合〕爲待蕭何作判司。元稹

【校】

① 肉，原誤作「内」。

② 數着你那胡弄的花色兒來，原誤作小字白語，據朱墨本、葉譜改。

【金瓏璁】〔生上〕驚春誰似我？客途中都不問其他。風吹綻蒲桃褐，雨淋殷杏子羅。今日晴和，曬衾單兀自有殘雲涡。

脈脈梨花春院香，一年愁事費商量。不知柳思能多少？打迭腰肢鬬沈郎。小生臥病梅花觀中，喜得陳友知醫，調理痊可。則這幾日間，春懷鬱悶，何處忘憂？早是老姑姑回也。

【一落索】〔净上〕無奈女冠何，識的書生破。知他何處夢兒多？每日價欠伸千個。

秀才安穩！〔生〕日來病患較些，悶坐不過，偌大梅花觀，少甚園亭消遣。〔净〕此後有花園一座，雖然亭榭荒蕪，頗有閒花點綴。則留散悶，不許傷心。〔生〕怎的得傷心也？〔净嘆介〕是這般說，你自去遊便了。從西廊轉畫墻而去，百步之外，便是籬門；半里之遥，都爲池館。你盡情玩賞，竟日消停，不索老身陪去也。名園隨客到，幽恨少人知。〔下〕〔生〕既有後花園，就此迤邐而去。〔行介〕這是西廊下了。〔行介〕好個葱翠的籬門，倒了半架。〔嘆介〕【集唐】憑闌仍是玉闌干王初，四面墻垣不忍看張隱。想得當時好風月韋莊，萬條煙罩一時乾李山甫。〔到介〕呀！偌大一個園子也。

【好事近】 則見風月暗消磨，畫墻西正南側左。〔跌介〕蒼苔滑擦，倚逗着斷垣低垛。因何，蝴蝶門兒落合？原來以前遊客頗盛，題名在竹林之上。客來過年月偏多，刻畫盡琅玕千個。咳！早則是寒花繞砌，荒草成窠。

怪哉！一個梅花觀女冠之流，怎起的這座大園子？好疑惑也。便是這灣流水呵！

【錦纏道】 門兒鎖，放着這武陵源一座。恁好處教頹墮，斷煙中，見水閣摧殘畫船抛躲，冷鞦韆尚挂下裙拖。又不是曾經兵火，似這般狼藉呵，敢斷腸人遠，傷心事多？待不關情麼，恰湖山石畔留着你打磨陀。

好一座山子哩！〔窺介〕呀，就裏一個小匣兒，待把左側一峯靠着，看是何物？〔作石倒介〕呀，是個檀香匣兒。〔開匣看畫介〕呀，一幅觀世音喜相，善哉！善哉！待小生捧到書館，頂禮供養，强如埋在此中。

【千秋歲】 〔捧畫回介〕小嵯峨，壓的旃檀合，便做了好相觀音俏樓閣。片石峯前，那片石峯前，多則是，飛來石三生因果。請將去，罏煙上過。頭納地，添燈火，照的他慈悲我。俺這裏盡情供養，他於意云何？

〔到介〕到了觀中，且安置閣兒上，擇日展禮。〔浄上〕柳相公多早了？

【尾聲】 〔生〕姑姑，一生爲客恨情多，過冷澹園林日午矬。老姑姑，你道不許傷心，你爲俺再尋一個定不傷心何處可？

〔生〕僻居雖愛近林泉，伍　喬

〔生〕何處貌將歸畫府，譚用之

〔净〕早是傷春夢雨天。韋　莊

〔合〕三峯花半碧堂懸。錢　起

第二十五齣　憶　女

【玩仙燈】〔貼上〕覩物懷人，人去物華銷盡。道的個仙果難成，名花易隕。〔嘆介〕恨蘭昌殉葬無因，收拾起燭灰香燼。

自家杜府春香是也，跟隨公相夫人到揚州。小姐去世，將次三年。俺看老夫人那一日不作念，那一日不悲啼。縱然老相公暫時寬解，怎散真愁？莫説老夫人，便是俺春香，想起小姐平常恩養，病裏言詞，好不傷心也！今乃小姐生忌之辰，老夫人分付香燈，遥望南安澆奠。早已安排，夫人有請。

【前腔】〔老旦上〕地老天昏，没處把老娘安頓。思量起舉目無親，招魂有盡。〔哭介〕我的麗娘兒也，在天涯老命難存，割斷的肝腸寸寸。

【蘇幕遮】嶺雲沈，關樹杳。〔貼〕春思無憑，斷送人年少。〔老〕子母千迴腸斷繞，繡夾書囊，尚帶餘香裊。〔貼〕瑞煙清，銀燭皎。〔老〕繡佛靈辰，血淚風前禱。〔哭介〕〔合〕萬里招魂魂可到？則願的人天净處超生早。〔老〕春香，自從小姐亡後，俺皮骨空存，肝腸痛盡。但見他讀殘書本，繡罷花枝，斷粉零香，餘簪棄履；觸處無非淚眼，見之總是傷心。算來一去三年，又是生辰之日。心香奉佛，淚燭澆天。分付安排，想已齊備。〔貼〕夫人，就此望空頂禮。〔老拜介〕【集唐】微香冉冉淚娟娟李商隱，酒滴灰香①似去年陸龜蒙。四尺孤墳何處是許渾？南方歸去再生天沈佺期。杜安撫之妻甄氏，敬爲亡女生

第二十五齣　憶女

辰，頂禮佛爺。願得杜麗娘皈依佛力，早早生天。〔起介〕春香，禱告了佛爺，不免將此茶飯，澆奠小姐。

【香羅帶】麗娘何處墳？問天難問。夢中相見得眼兒昏，則聽的叫娘的聲和韻也。驚跳起，猛回身，則見陰風幾陣殘燈暈。〔哭介〕俺的麗娘人兒也，你怎抛下的萬里無兒白髮親？〔貼拜介〕

【前腔】名香叩玉真，受恩無盡，賞春香還是你舊羅裙。〔起介〕小姐臨去之時，分付春香，長叫喚一聲。今日叫他小姐，小姐呵，叫的一聲聲小姐可曾聞也？〔老旦、貼哭介〕〔合〕想他那情切，那傷神，恨天天生割斷俺娘兒直恁忍。〔貼回介〕俺的小姐人兒也，你可還向這舊宅裏重生何處身？

〔跪介〕稟老夫人：人到中年，不堪哀毀。小姐難以生易死，夫人無以死傷生。且自調養尊年，與老相公同享富貴。〔老哭介〕春香，你可知老相公年來因少男兒，常有娶小之意。止因小姐承歡膝下，百事因循。如今小姐喪亡，家門無託，俺與老相公悶懷相對，何以爲情？天呵！〔貼〕老夫人，春香愚不諫賢，依夫人所言，既然老相公有娶小之意，不如順他，收下一房，生子爲便。〔老〕春香，你見人家庶出之子，可如親生？〔貼〕春香但蒙夫人收養，尚且非親是親；夫人肯將庶出看成，豈不無子有子？〔老〕好話！好話！

〔老〕曾伴殘蛾到女兒，徐凝

〔貼〕白楊今日幾人悲？杜甫

〔老〕須知此恨消難得，温庭筠

〔合〕淚滴寒塘蕙草時。廉氏

【校】

① 灰香，原誤作「香灰」，據陸龜蒙原詩改（見全唐詩卷二三和襲美初冬偶作）。

第二十六齣　玩　真

〔生上〕芭蕉葉上雨難留，芍藥梢頭風欲收。畫意無明偏着眼，春光有路暗擡頭。小生客中孤悶，閒遊後園。湖山之下，拾得一軸小畫，似是觀音大士，寶匣莊嚴。風雨淹旬，未能展視，且喜今日晴和，瞻禮一會。〔開匣展畫介〕

【黃鶯兒】秋影掛銀河，展天身自在波，諸般好相能停妥。他真身在補陀，咱海南人遇他。〔想介〕甚威光不上蓮花座？再延俄，怎湘裙直下，一對小凌波？是觀音，怎一對小脚兒？待俺端詳一會。

【二郎神慢】些兒個，畫圖中影兒則度。着了，敢誰書館中弔下幅小嫦娥？畫的這俜停倭妥。是嫦娥，一發該頂戴了。問嫦娥折桂人有我？可是嫦娥，怎影兒外没半朵祥雲托？樹皴兒又不似桂叢花瑣？不是觀音，又不是嫦娥，人間那得有此？成驚愕，似曾相識，向俺心頭摸。

【鶯啼序】待俺瞧，是畫工臨的，還是美人自手描的？問丹青何處嬌娥，片月影光生豪末。似恁般一個人兒，早見了百花

第二十六齣　玩真

低躲。總天然意態難模，誰近得把春雲淡破？想來畫工怎能到此？多敢他，自己能描會脱。

且住，細觀他幀首之上，小字數行。〔看介〕呀，原來絶句一首。〔念介〕近覩分明似儼然，遠觀自在若飛仙。他年得傍蟾宫客，不在梅邊在柳邊。呀，此乃人間女子行樂圖也。何言不在梅邊在柳邊？奇哉怪事哩！

【集賢賓】望關山梅嶺天一抹，怎知俺柳夢梅過？得傍蟾宫知怎麽？待喜呵端詳停和，俺姓名兒直麽、費嫦娥定奪？打摩訶，敢則是夢魂中真個。

好不回盼小生。

【黄鶯兒】空影落纖蛾，動春蕉散綺羅，春心只在眉間鎖。春山翠拖，春煙淡和，相看四目誰輕可？恁横波，來迴顧影，不住的眼兒睃。

卻怎半枝青梅在手？活似提掇小生一般。

【鶯啼序】他青梅在手詩細哦，逗春心一點蹉跎。小生待畫餅充飢，小姐似望梅止渴。小姐，小姐，未曾開半點幺荷，含笑處朱脣淡抹。韻情多，如愁欲語，只少口氣兒呵。

小娘子畫似崔徽，詩如蘇蕙，行書逼真衛夫人。小子雖則典雅，怎到得這小娘子？驀地相逢，不免步韻一言。〔題介〕丹青妙處卻天然，不是天仙即地仙。欲傍蟾宮人近遠，恰些春在柳梅邊。

【簇御林】他能綽斡，會寫作，秀入江山人唱和。待小生狠狠叫他幾聲：美人！美人！姐姐！姐姐！向真真啼血你知麼？叫的你噴嚏似天花唾。動凌波，盈盈欲下，不見影兒那。

咳，俺孤單在此，少不得將小娘子畫像，早晚玩之，拜之，叫之，贊之。

【尾聲】拾的個人兒先慶賀，敢柳和梅有些瓜葛？小姐，小姐，則被你有影無形看殺我。

不須一向恨丹青，白居易　堪把長懸在户庭。伍喬
惆悵題詩柳中隱，司空圖　添成春醉轉難醒。章碣

第二十七齣　魂遊

【掛真兒】〔净扮石道姑上〕臺殿重重春色上，碧雕闌映帶銀塘。撲地香騰，歸天磬響，細展度人經藏。

【集唐】幾年紅粉委黄泥雍裕之，十二峯頭月欲低李涉。折得玫瑰花一朵李建勳，東風吹上窈娘堤羅虬。俺老道姑，看守杜小姐墳庵，三年之上。擇取吉日，替他開設道場，超生玉界。早已門外豎立招幡，看有何人來到？

【太平令】〔貼扮小道姑，丑扮徒弟上〕嶺路江鄉，一片彩雲扶月上，羽衣青鳥閒來往。〔丑〕天晚，梅花觀歇了罷。〔貼〕南枝外有鵲爐香。

小道姑乃韶陽郡碧雲庵主是也。遊方到此，見他莊嚴旛引，榜示道場。恰好登壇，共成好事。〔見介〕【集唐】〔貼〕大羅天上柳煙含魚玄機，〔净〕你毛節朱旛倚石龕王維。〔貼〕見向溪山求住處韓愈，〔净〕好哩，你半垂檀袖學通參女光。小姑姑從何而至？〔貼〕從韶陽郡來，暫此借宿。〔净〕東頭房兒，有個嶺南柳相公養病，則下廂房可矣。〔貼〕多謝了，敢問今夕道場，爲何而設？〔净嘆介〕則爲杜衙小姐去三年，待與招魂上九天。〔貼〕這等呵，清醮壇場今夜好，敢將香火助真仙。〔净〕這等卻好。〔内鳴鐘鼓介〕〔衆〕請老師父拈香。〔净〕南斗注生真妃，東嶽受生夫人殿下：〔拈香拜介〕

第二十七齣　魂遊

【孝南歌】　鑽新火，點妙香，虔誠爲因杜麗娘。〔衆拜〕香靄繡旛幢，細樂風微颺。仙真呵，威光無量，把一點香魂，早度人天上。怕未盡凡心，他再作人身想。做兒郎，做女郎，願他永成雙，再休似少年亡。

〔净〕想起小姐生前愛花而亡，今日折得殘梅，安在净瓶供養。〔拜神主介〕

【前腔】　瓶兒净，春凍陽，殘梅半枝紅蠟裝。小姐呵，你香夢與誰行，精神忒孤往。〔衆〕老師兄，你説净瓶像什麼？殘梅像什麼？〔净〕這瓶兒空像，世界包藏，身似殘梅樣。有水無根，尚作餘香想。〔衆〕小姐，你受此供呵，教你肌骨涼，魂魄香。肯回陽，再住這梅花帳？

〔内風響介〕〔净〕奇哉！怪哉！冷窣窣一陣風打旋也。〔内鳴鐘介〕〔衆〕這晚齋時分，且喫了齋，收拾道場。正是：曉鏡抛殘無定色，晚鐘敲斷步虚聲。〔衆下〕

【水紅花】〔魂旦作鬼聲掩袖上〕則下得望鄉臺如夢俏魂靈，夜熒熒，墓門人静。〔内犬吠〕〔旦驚介〕原來是賺花陰小犬吠春星，冷冥冥，梨花春影。呀，轉過牡丹亭，芍藥闌，都荒廢盡。爹娘去了三年也。〔泣介〕傷感煞斷垣荒逕，望中何處也鬼燈青？〔聽介〕兀的有人聲也囉。

【添字昭君怨】　昔日千金小姐，今日水流花謝。這淹淹惜惜杜陵花，太虧他。生性獨行無那，此夜星前一個。生生死死爲情多，奈情何？奴家杜麗娘女魂是也。只爲癡情慕色，一夢而亡。湊的十地閻君，奉旨裁革，無人發遣，女監三年。喜遇老判哀憐放假，趁此月明風細，隨喜一番。呀！這是書齋後園，怎做了梅花庵觀？好感傷人也！

【小桃紅】咱一似斷腸人和夢醉初醒，誰償咱殘生命也？雖則鬼叢中，姊妹不同行，窣地的把羅衣整。這影隨形，風沈露，雲暗斗，月勾星，都是我魂遊境也。到的這花影初更，〔内作丁冬聲〕〔旦驚介〕一霎價心兒瘆，原來是弄風鈴臺殿冬丁。

好一陣香也！

【下山虎】我則見香煙隱隱，燈火熒熒。呀，鋪了些雲霞蹬，不由人打個讋挣。是那位神靈？原來是東嶽夫人，南斗真妃。〔稽首介〕仙真，仙真，杜麗娘鬼魂稽首。魆魆地投明證明，好替俺朗朗的超生注生。再看這青詞上，原來就是石道姑在此住持。一壇齋意，度俺生天。道姑，道姑，我可也生受你呵！再瞧這净瓶中，咳，便是俺那塚上殘梅哩。梅花呵，似俺杜麗娘半開而謝，好傷情也。則爲這斷鼓零鐘金字經，叩動俺黄粱境。俺向這地坼裏梅根迸幾程，透出些兒影。〔泣介〕姑姑們這般志誠，若不留些蹤影，怎顯的俺鑒知他？就將梅花散在經臺之上。〔散花介〕抵甚麽一點香銷萬點情。

想起爹娘何處？春香何處也？呀，那邊廂有沈吟叫喚之聲，聽怎來？〔内叫介〕俺的姐姐呵！俺

的美人呵！〔旦驚介〕誰叫誰也？再聽。〔内又叫介〕〔旦嘆介〕

【醉歸遲】生和死孤寒命，有情人叫不出情人應，爲甚麽不唱出你可人名姓？似俺孤魂獨趁，待誰來叫喚俺一聲？不分明無倒斷，再消停。〔内又叫介〕咳！敢邊廂甚麽書生，睡夢裏語言胡哩。

【黑麻令】① 不由俺無情有情，湊着叫的人，三聲兩聲，冷惺忪紅淚飄零。呀，怕不是夢人兒，梅卿柳卿？俺記着這花亭水亭，趁的這風清月清。則這鬼宿前程，盼得上三星四星。

呀，待即行尋趁，奈斗轉參横，不敢久停呵，

【尾聲】爲甚麽閃摇摇春殿燈？〔内叫介〕殿上響動。〔丑虚上望介〕〔又作風起介〕〔旦〕一弄兒繡旛飄迴，則這幾點落花風是俺杜麗娘身後影。

〔作鬼聲下〕〔丑打照面驚叫介〕師父們快來！快來！〔净貼驚上〕怎生大驚小怪？〔丑〕則這燈影熒煌，躲着瞧時，見一位女神仙，袖拂花旛，一閃而去。怕也！怕也！〔净〕怎生模樣？〔丑打手勢介〕這多高，這多大，俊臉兒，翠翹金鳳，紅裙緑襖，環珮玎璫，敢是真仙下降？〔净〕咳，這便是杜小姐生時樣子，敢是他有靈活現？〔貼〕呀，你看經臺之上，亂糝梅花，奇也！異也！大家再祝讚他一番。

【憶多嬌】〔衆〕風滅了香，月到廊。閃閃屍屍魂影兒涼，花落在春宵情易傷。願

你早度天堂，早度天堂，免留滯他鄉故鄉。

〔貼〕敢問杜小姐爲何病亡？以何因緣，而來出現？

【尾聲】〔净〕休驚恍，免問當，收拾起樂器經堂。你聽波：兀的冷窣窣珮環風還在迴廊那邊響。

〔净〕心知不敢輒形相，曹唐　〔貼〕欲話因緣恐斷腸。天竺牧童

〔丑〕若使春風會人意，羅鄴　〔合〕也應知有杜蘭香。羅虬

【校】

① 原無【黑麻令】曲牌名，此曲誤與【醉歸遲】合而爲一，今據格正、葉譜析出。

第二十八齣　幽媾

【夜行船】〔生上〕瞥下天仙何處也？影空濛似月籠沙。有恨徘徊，無言窨約，早是夕陽西下。

一片紅雲下太清，如花巧笑玉娉婷。憑誰畫出生香面？對俺偏含不語情。小生自遇春容，日夜想念。這更闌時節，破些工夫，吟其珠玉，玩其精神。儻然夢裏相親，也當春風一度。〔展畫玩介〕呀，你看美人呵，神含欲語，眼注微波。真乃落霞與孤鶩齊飛，秋水共長天一色。

【香徧滿】晚風吹下，武陵溪邊一縷霞，出落個人兒風韻殺。净無瑕，明窗新絳紗。丹青小畫叉①，把一幅肝腸掛。

小姐，小姐，則被你想殺俺也。

【懶畫眉】輕輕怯怯一個女嬌娃，楚楚臻臻像個宰相衙。想他春心無那對菱花，含情自把春容畫，可想到有個拾翠人兒也逗着他？

【二犯梧桐樹】他飛來似月華，俺拾的愁天大。常時夜夜對月而眠，這幾夜呵，幽佳，嬋娟隱映的光輝殺。教俺迷留没亂的心嘈雜，無夜無明怏着他。若不爲擎奇怕涴的

第二十八齣　幽媾

丹青亞，待抱着你影兒横榻。

想來小生定是有緣也，再將他詩句朗誦一番。〔念詩介〕

【浣沙溪】拈詩話，對會家，柳和梅有分兒些。他春心迸出湖山罅，飛上煙綃萼綠華。則是禮拜他便了。〔拈香拜介〕傒倖殺，對他臉暈眉痕心上掐，有情人不在天涯。

小生客居，怎勾姐姐風月中片時相會也？

【劉潑帽】恨單條不惹的雙魂化，做個畫屏中倚玉蒹葭。小姐呵，你耳朵兒雲鬢月侵芽，可知他一些些，都聽的俺傷情話？

【秋夜月】堪笑咱，説的來如戲耍。他海天秋月雲端掛，煙空翠影遥山抹。只許他伴人清暇，怎教人挑達？

【東甌令】俺如念呪，似説法，石也要點頭天雨花。怎虔誠不降的仙娥下？是不肯輕行踏。〔内作風起〕〔按住畫介〕待留仙怕殺風兒刮，黏嵌着錦邊牙。

怕刮損他，再尋個高手臨他一幅兒。

【金蓮子】閒嘖牙，怎能勾他威光水月生臨榻？怕有處相逢他自家，則問他許多情，與春風畫意再無差。

再把燈剔起細看他一會。〔照介〕

【隔尾】敢人世上似這天真多則假？〔内作風吹燈介〕〔生〕好一陣冷風襲人也，險些兒誤丹青風影落燈花。罷了，則索睡掩紗窗去夢他。

〔生睡介〕〔魂旦上〕泉下長眠夢不成，一生餘得許多情。魂隨月下丹青引，人在風前嘆息聲。妾身杜麗娘鬼魂是也。爲花園一夢，想念而終。當時自畫春容，埋于太湖石下，題有：他年得傍蟾宮客，不是梅邊在柳邊。誰想遊魂觀中幾晚，聽見東房之内，一個書生，高聲低叫：俺的姐姐，俺的美人。那聲音哀楚，動俺心魂。悄然驀入他房中，則見高掛起一軸小畫，細玩之，便是奴家遺下春容。後面和詩一首，觀其名字，則嶺南柳夢梅也。梅邊柳邊，豈非前定乎？因而告過了冥府判君，趁此良宵，完其前夢。想起來好苦也！

【朝天懶】怕的是粉冷香銷泣絳紗，又到的高唐館，玩月華。猛回頭羞颯髻兒鬖，自擎拿。呀，前面是他房頭了。怕桃源路徑行來詫，再得俄旋試認他。

〔生睡中念詩介〕他年若傍蟾宮客，不在梅邊在柳邊。我的姐姐呵。〔旦聽，打悲介〕

【前腔】是他叫喚的傷情咱淚雨麻，把我殘詩句，没争差。難道還未睡呵？〔瞧介〕〔生又叫介〕〔旦〕他原來睡屏中作念猛嗟呀。省諠譁，我待敲彈翠竹窗櫳下，〔生作驚醒，叫姐姐介〕〔旦悲介〕待展香魂去近他。

〔生〕呀，户外敲竹之聲，是風？是人？〔旦〕有人。〔生〕這咱時節有人，敢是老姑姑送茶來？免勞了。〔旦〕不是。〔生〕敢是遊方的小姑姑麼？〔旦〕不是。〔生〕好怪，好怪，又不是小姑姑，再有誰？待我

啓門而看。〔開門看介〕

【玩仙燈】② 呀，何處一嬌娃，艷非常使人驚詫。

〔旦作笑閃入〕〔生急掩門〕〔旦斂衽整容見介〕秀才萬福！〔生〕小娘子到來。敢問尊前何處？因何夤夜至此？〔旦〕秀才，你猜來。

【紅衲襖】〔生〕莫不是莽張騫犯了你星漢槎？莫不是小梁清夜走天曹罰？〔旦〕這都是天上仙人，怎得到此？〔生〕是人家彩鳳暗隨鴉？〔旦搖頭介〕〔生〕敢甚處裏綠楊曾繫馬？〔旦〕不曾一面。〔生〕若不是認陶潛眼挫的花？敢則是走臨邛道數兒差？〔旦〕非差。〔生〕想是求燈的，可是你夜行無燭也，因此上待要紅袖分燈向碧紗？

【前腔】〔旦〕俺不爲度仙香空散花，也不爲讀書燈閒濡蠟。俺不似趙飛卿舊有瑕，也不似卓文君新守寡。秀才呵，你也曾隨蝶夢迷花下，〔生想介〕是當初曾夢來。〔旦〕俺因此上弄鶯簧赴柳衙。若問俺妝臺何處也？不遠哩，剛則在宋玉東鄰第幾家。

〔生作想介〕是了。曾後花園轉西，夕陽時節，見小娘子走動哩。〔旦〕便是了。〔生〕家下有誰？

【宜春令】〔旦〕斜陽外，芳草涯，再無人有伶仃的爹媽。奴年二八，没包彈風藏葉裏花。爲春歸惹動嗟呀，瞥見你風神俊雅。無他③，待和你翦燭臨風，西窗閒話。

〔生背介〕奇哉！奇哉！人間有此艷色。夜半無故而遇明月之珠，怎生發付？

【前腔】 他驚人艷，絶世佳，閃一笑風流銀蠟。月明如乍，問今夕何年星漢槎？金釵客寒夜來家，玉天仙人間下榻。〔背介〕知他，知他是甚宅眷的孩兒？這迎門調法。

待小生再問他：〔回介〕小娘子夤夜下顧小生，敢是夢也？〔旦笑介〕不是夢，當真哩。還怕秀才未肯容納。〔生〕則怕未真，果然美人見愛，小生喜出望外，何敢卻乎？〔旦〕這等，真個盼着你了。

【耍鮑老】 幽谷寒涯，你爲俺催花連夜發。俺全然未嫁，你個中知察，拘惜的好人家。牡丹亭，嬌恰恰，湖山畔，羞答答。讀書窗，淅喇喇。良夜省陪茶，清風明月知無價。

【滴滴金】 〔生〕俺驚魂化，睡醒時涼月些些。陡地榮華，敢則是夢中巫峽？虧殺你走花陰不害些兒怕，點蒼苔不溜些兒滑。背萱親不受些兒嚇，認書生不着些兒差。你看斗兒斜，花兒亞，如此夜深花睡罷。笑咖咖，吟哈哈，風月無加。把他艷軟香嬌做意兒耍，下的虧他，便虧他則半霎。

〔旦〕妾有一言相懇，望郎恕責。〔生笑介〕賢卿有話，但説無妨。〔旦〕妾千金之軀，一旦付與郎矣，勿負奴心。每夜得共枕席，平生之願足矣。〔生笑介〕賢卿有心戀于小生，小生豈敢忘于賢卿乎？〔旦〕還有一言：未至鷄鳴，放奴回去。秀才休送，以避曉風。〔生〕這都領命。只問姐姐貴姓芳名？

【意不盡】〔旦嘆介〕少不得花有根元玉有芽，待説時惹的風聲大。〔生〕以後准望賢卿逐夜而來。〔旦〕秀才，且和俺點勘春風這第一花。

〔生〕浩態狂香昔未逢，韓　愈　〔旦〕月斜樓上五更鐘。李商隱

〔旦〕朝雲夜入無行處，李　白　〔生〕神女知來第幾峯。張子容

【校】

①叉，原誤作「又」，據南詞新譜卷十二改。　②【玩仙燈】，格正題作【金鷄叫】。此是【金鷄叫】首兩句，下面省去三句。如作爲【玩仙燈】，則首句五字，其中一字作襯字，亦合。　③原作「咱」一字句，據別本改。

【步步嬌】〔净扮老道姑上〕女冠兒生來出家相，無對向没生長。守着三清像，換水添香，鐘鳴鼓響。赤緊的是那走方娘，弄虛花扯閒帳。

世事難拚一個信，人情常帶三分疑。杜老爺爲小姐剏下這座梅花觀，着俺看守，三年水清石見，無半點瑕疵。止因陳教授老狗，引下個嶺南柳秀才，東房養病，前幾日到後花園回來，悠悠漾漾的，着鬼着魅一般，俺已疑惑了。湊着個韶陽小道姑，年方念八，頗有風情，到此雲游，幾日不去。夜來柳秀才房裏，唧唧噥噥，聽的似女兒聲息，敢是小道姑瞞着我，去瞧那秀才，秀才逆來順受了？俺且待他來，打覷他一番。

【前腔】〔貼扮小道姑上〕俺女冠兒俏的仙真樣，論舉止都停當，則一點情抛漾。步斗風前，吹笙月上。〔嘆介〕古來仙女定成雙，恁生來寒乞相。

〔見介〕〔貼〕常無欲以觀其妙，〔净〕常有欲以觀其竅。小姑姑，你昨夜遊方，遊到柳秀才房兒裏去，是竅？是妙？〔貼〕老姑姑，這話怎的起？誰看見來？〔净〕俺看見來。

【剔銀燈】你出家人芙蓉淡妝，翦一片湘雲鶴氅。玉冠兒斜插笑生香，出落的十分情況。斟量，敢則向書生夜窗，迤逗的幽輝半牀。

〔貼〕向那個書生？老姑姑，這話敢不中哩！

【前腔】俺雖然年青試妝，洗凡心冰壺月朗。你怎生剥落的人輕相？比似你半老的佳人停當。〔净〕倒栽起俺來。〔貼〕你端詳，這女貞觀傍，可放着個書生話長。

〔净〕哎也！難道俺與書生有賬？這梅花觀，你是雲遊道婆，他是雲遊秀才，你住的，偏他住不的？則是往常秀才夜静高眠，則你到觀中，那秀才夜半開門，唧唧噥噥的，不共你説話，共誰來？扯你道録司告去！〔扯介〕〔貼〕便去！你將前官香火院，停宿外方遊棍，難道偏放過你？〔扯介〕

【一封書】〔末上〕閒步白雲除，問柳先生何處居？扣梅花院主。〔見扯介〕呀，怎兩個姑姑争施主？玄牝同門道可道，怎不韞櫝而藏姑待姑？俺知道你是大姑，他是小姑，嫁的個彭郎港口無？

〔净〕先生不知，聽的柳秀才半夜開門，不住的唧噥，俺好意兒問這小姑，敢是你共柳秀才講話哩？這小姑則答應着誰共秀才講話來便罷，倒嘴骨弄的，説俺養着個秀才。陳先生，憑你説，誰引這秀才來？扯他道録司明白去，俺是石的。〔貼〕難道俺是水的？〔末〕噤聲！壞了柳秀才體面。俺勸你：

【前腔】教你姑徐徐，撒月招風實也虚。早則是者也之乎，那柳下先生君子儒。

到道録司牒你去俗還俗，敢儒流們笑你姑不姑？〔貼〕正是不雅相。〔末〕①好把冠子兒扶，水雲梳，裂了這仙衣四五銖。

〔净〕便依説開手罷。陳先生喫個齋去。〔末〕待柳秀才在時又來。

【尾聲】清絶處，再踟躇。〔淚介〕咳，糁②東風窮淚撲疎疎。道姑，杜小姐墳兒可上去。

〔净〕雨哩。〔末嘆介〕則恨的鎖春寒這幾點杜鵑花下雨。〔下〕

〔净貼弔場〕〔净〕陳老兒去了。小姑姑好嗻。〔貼〕和你再打聽，誰和秀才説話來？

〔净〕煙水何曾息世機。温庭筠　〔貼〕高情雅淡世間稀。劉禹錫

〔净〕隴山鸚鵡能言語，岑參　〔貼〕亂向金籠説是非。僧子蘭

【校】

① 原作「净」，當改。　② 原作「慘」，當改。

第三十齣　歡撓

【搗練子】〔生上〕聽漏下，半更多，月影向中那，恁時節夜香燒罷麽？

一點猩紅一點金，十個春纖十個針。只因世上美人面，改盡人間君子心。俺柳夢梅是個讀書君子，一味志誠。止因北上南安，湊着東鄰西子。嫣然一笑，遂成暮雨之來；未是五更，便逐曉風而去。今宵有約，未知遲早。正是：金蓮若肯移三寸，銀燭先教刻五分。則一件，姐姐若到，要精神對付他。偷盹一會，有何不可！〔睡介〕

【稱人心】〔魂旦上〕冥途掙挫，要死卻心兒無那。也則爲俺那人兒忒可，教他悶房頭守着開燈火。〔入門介〕呀，他端然睡磕，恁春寒也不把繡衾來摸，多應他祇候着我。

待叫醒他，秀才，秀才。〔生醒介〕姐姐，失敬也！〔起揖介〕

【雨中歸】① 待整衣羅，遠遠相迎個。這二更天風露多，還則怕夜深花睡麽。

〔旦〕秀才，俺那裏長夜好難過，纔着你無眠清坐。

〔生〕姐姐，你來的脚蹤兒恁輕，是怎的？【集唐】〔旦〕自然無跡又無塵朱慶餘，〔生〕白日尋思夜夢頻令狐楚。〔旦〕行到窗前知未寢無名氏，〔生〕一心惟待月夫人皮日休。姐姐，今夜來的遲些。

【繡帶兒】〔旦〕鎮消停不是俺閒情忒慢俄，那些兒忘卻俺歡哥。夜香殘迴避了尊親，繡牀偎收拾起生活，停脱，順風兒斜將金佩拖，緊摘離百忙的淡妝明抹。〔生〕費你高情。則良夜無酒，奈何？〔旦〕都忘了，俺攜酒一壺，花果二色，在楯欄之上，取來消遣。〔旦出，取酒果花上〕〔生〕生受了！是甚果？〔旦〕青梅數粒。〔生〕這花？〔旦〕美人蕉。〔生〕梅子酸似俺秀才，蕉花紅似俺姐姐。串飲一杯。〔共杯飲介〕

【白練序】〔旦〕金荷，斟香糯。〔生〕你醞釀春心玉液波，拚微酡，東風外翠香紅醱。〔旦〕也摘不下奇花果，這一點蕉花和梅豆呵，君知麽？愛的人全風韻，花有根科。

【醉太平】〔生〕細哦，這子兒花朵，似美人憔悴，酸子情多。喜蕉心暗展，一夜梅犀點污。如何？酒潮微暈笑生渦，待噉着臉恣情的嗚嘬。些兒個，翠偃了情波。潤紅蕉點，香生梅唾。

【白練序】〔旦〕活潑，死騰那，這是第一所人間風月窩。昨宵個微茫暗影輕羅。把勢兒忒顯豁，爲甚麽人到幽期話轉多？〔生〕好睡也。〔旦〕好月也。消停坐，不妬色嫦娥，和俺人三個。

【醉太平】〔生〕無多，花影阿那。勸奴奴睡也，睡也奴哥。春宵美滿，一煞暮鐘敲破。嬌娥，似前宵雨雲羞怯顫聲訛，敢今夜翠顰輕可？睡則那，把膩乳微搓，酥胸汗帖，細腰春鎖。

〔净貼悄上〕〔貼〕道可道，可知道。名可名，可聞名。〔生旦笑介〕〔貼〕老姑姑，你聽，秀才房裏有人，這不是俺小姑姑了？〔净作聽介〕是女人聲，快敲門去。〔敲門介〕〔生〕是誰？〔净〕老道姑送茶。〔生〕夜深了。〔净〕相公房裏有客哩。〔生〕没有。〔净〕女客哩。〔生旦慌介〕怎好？〔净急敲門介〕相公，快開門，地方巡警，免的聲揚哩。〔生慌介〕怎了！怎了！〔旦笑介〕不妨，俺是鄰家女子，道姑不肯干休時，便與他一個勾引的罪名兒。

【隔尾】〔旦〕便開呵，須撒和，隔紗窗怎守的到參兒趓。柳郎，則管鬆了門兒，俺影着這一幅美人圖那邊躲。

〔生開門〕〔旦作躲〕〔生將身遮旦〕〔净貼闖進，笑介〕喜也！〔生〕什麼喜？〔净前看〕〔生身攔介〕

【衮遍】②〔净貼〕這更天一點鑼，仙院重門闔。何處嬌娥？怕惹的乾柴火。〔生〕你便打睃，有甚着科？是牀兒裏窩？箱兒裏那？袖兒裏閣？

〔净貼向前〕〔生攔不住〕〔内作風起〕〔旦閃下介〕〔生〕昏了燈也。〔净〕分明一個影兒，只這軸美女圖在此，古畫成精了麼？

【前腔】畫屏人踏歌，曾許你書生和。不是妖魔，甚影兒望風躲。相公，這是什麼晝？〔生〕妙娑婆，秀才家隨行的香火。俺寂静裏暗祈求。你莽吆喝。

〔净〕是了。不説不知，俺前晚聽見相公房内啾啾唧唧，疑惑這小姑姑。俺如今明白了，相公，權留小姑姑伴話。〔生〕請了。

【尾聲】動不動道録司官了私和，則欺負俺不分外的書生欺别個。姑姑，這多半覺美鼾鼾則被你奚落煞了我。〔净貼下〕

〔生笑介〕一天好事，兩個瓦剌姑，掃興！掃興！那美人呵，好喫驚也。

應陪秉燭夜深遊，曹松　惱亂春風卒未休。羅隱
大姑山遠小姑出，顧況　更憑飛夢到瀛洲。胡宿

【校】

①原無【雨中歸】曲牌名，將此曲混入【稱人心】，今據格正、葉譜析出。【雨中歸】，謂【梅子黄時雨】犯【醉中歸】。

②【衮遍】，原作【滚遍】。南詞新譜卷一四已云：「【黄龍衮】，今人只作【衮遍】」，無煩改正也。

第三十一齣　繕備

【番卜算】〔貼扮文官，凈扮武官上〕邊海一邊江，隔不斷胡塵漲。維揚新築兩城墻，釃酒臨江上。

請了，俺們揚州府文武官僚是也。安撫杜老大人，爲因李全騷擾地方，加築外羅城一座。今日落成開宴，杜老大人早到也。〔衆擁外上〕

【前腔】三千客兩行，百二關重壯。〔文武迎介〕〔外〕維揚風景世無雙，直上層樓望。

〔見介〕〔衆〕北門卧護要耆英，〔外〕恨少胸中十萬兵。〔衆〕天借金山爲底柱，〔外〕身當鐵甕作長城。揚州表裏重城，不日成就，皆文武諸公士民之力。〔衆〕此皆老安撫遠略奇謀，屬官竊在下風，敢獻一杯，效古人城隅之宴。〔外〕正好。且向新樓一望。〔望介〕壯哉，城也！真乃江北無雙塹，淮南第一樓。〔衆〕請進酒。

【山花子】賀層城頓插雲霄敞，雉飛騰映壓寒江。據表裏山河一方，控長淮萬里金湯。〔合〕敵樓高窺臨女墻，臨風釃酒旌旆揚，乍想起瓊花當年吹暗香？幾點新

亭，無限滄桑。

〔外〕前面高起如霜似雪，四五十堆，是何山也？〔衆〕都是各場所積之鹽，衆商人中納。〔外〕商人何在？〔末老旦扮商人上〕占種海田高白玉，掀翻鹽井橫黃金。商人見。〔外〕商人麽？則怕早晚要動支兵糧，儹緊上納。

【前腔】這鹽呵，是銀山雪障連天晃，海煎成夏草秋糧。平看取鹽花竈場，儘支排中納邊商。〔合前〕

酒罷了。喜的廣有兵糧，則要衆文武關防如法。

【舞霓裳】〔衆〕文武官僚立邊疆，立邊疆。休壞了這農桑，士工商。〔合〕敢大金家早晚來無狀，打貼起炮箭旗槍。聽邊聲風沙迭蕩，猛驚起，見蟠花戰袍舊邊將。

【紅繡鞋】〔衆〕吉日祭賽城隍，城隍。歸神謝土安康，安康。祭旗纛，犒軍裝。陣頭兒，誰抵當？箭眼裏，好遮藏。

【尾聲】〔外〕按三韜把六出旗門放，文和武肅静端詳，則等待海西頭動邊烽那一聲砲兒響。

夾城雲煖下霓旄，杜　牧　千里崤函一夢勞。譚用之

不意新城連嶂起，錢　起　夜來冲斗氣何高！譚用之

【月雲高】〔生上〕暮雲金闕，風旛淡摇拽。但聽得鐘聲絶，早則是心兒𤍠。紙帳書生，有分氳蘭麝。喒時還早，蕩花陰單則把月痕遮。〔整燈介〕溜風光穩護着燈兒㶿。〔笑介〕好書讀易盡，佳人期未來。前夕美人到此，並不隄防姑姑攪擾。今宵趁他未來之時，先到雲堂之上，攀話一回，免生疑惑。〔作掩門行介〕此處留人户半斜，天呵，俺那有心期在那些？〔下〕

【前腔】〔魂旦上〕孤神害怯，佩環風定夜。〔驚介〕則道是人行影，原來是雲偷月。〔到介〕這是柳郎書舍了。呀，柳郎何處也？閃閃幽齋，弄影燈明滅。魂再豔燈油接，情一點燈頭結。〔歎介〕奴家和柳郎幽期，除是人不知，鬼都知道。〔泣介〕竹影寺風聲怎的遮？黄泉路夫妻怎當賒？

待説何曾説，如嚬不奈嚬。把持花下意，猶恐夢中身。奴家雖登鬼録，未損人身。陽禄將回，陰數已盡。前日爲柳郎而死，今日爲柳郎而生。夫婦分縁，去來明白。今宵不説，只管人鬼混纏，到甚時節？則怕説時，柳郎那一驚呵，也避不得了。正是：夜傳人鬼三分話，早定夫妻百歲恩。

【懶畫眉】〔生上〕畫闌風擺竹横斜，〔内作鳥聲驚介〕驚鴉閃落在殘紅榭。呀，門兒開也，玉天仙光降了紫雲車。〔旦出迎介〕柳郎來也。〔生揖介〕姐姐來也。〔旦〕剔燈花這喒望郎爺。〔生〕直恁的志誠親姐姐。

〔旦〕秀才，等你不來，俺集下了唐詩一首。〔生〕洗耳。〔旦念介〕擬託良媒亦自傷秦韜玉，月寒山色兩蒼蒼薛濤。不知誰唱春歸曲曹唐？又向人間魅阮郎劉言史。〔生〕姐姐高才。〔旦〕柳郎，這更深何處來也？〔生〕昨夜被姑姑敗興，俺乘你未來之時，去姑姑房頭，看了他動静，好來迎接你，不想姐姐今夜來恁早哩。〔旦〕盼不到月兒上也。

【太師引】〔生〕歎書生何幸遇仙提揭，比人間更志誠親切。乍温存笑眼生花，正漸入歡腸啖蔗。前夜那姑姑呵，恨無端風雨把春抄截。姐姐呵，誤了你半宵周折，累了你好回驚怯。不嗔嫌，一逕的把斷紅重接。

【瑣寒窻】①〔旦〕是不隄防他來的嗹嗻，嚇的個魂兒收不迭。仗雲摇月躲，畫影人遮。則没踹的澀道邊兒，閃人一跌，自生成不慣這磨滅。險些些風聲揚播到俺家爺，先喫了俺狠尊慈痛決。

〔生〕姐姐費心。因何錯愛小生至此？〔旦〕愛的你一品人才。〔生〕姐姐，敢定了人家？

【太師引】〔旦〕并不曾受人家紅定迴鸞帖。〔生〕喜個甚樣人家？〔旦〕但得個秀才郎情傾意愜。〔生〕小生到是個有情的。〔旦〕是看上你年少多情，迤逗俺睡魂難帖。〔生〕

姐姐，嫁了小生罷。〔旦〕怕你嶺南歸客道途賒，是做小伏低難説。〔生〕小生未曾有妻。〔旦笑介〕少甚麽舊家根葉，着俺異鄉花草填接。

敢問秀才：堂上有人麽？〔生〕先君官爲朝散，先母曾封縣君。〔旦〕這等是衙内了。怎恁婚遲？

【瑣寒牕】〔生〕恨孤單飄零歲月，但尋常稔色誰沾藉。那有個相如在客，肯駕香車？蕭史無家，便同瑶闕？似你千金笑等閒拋泄。憑説，便和伊青春才貌恰争些，怎做的露水相看仳別？

〔旦〕秀才有此心，何不請媒相聘？也省的奴家爲你擔慌受怕。〔生〕明早敬造尊庭，拜見令尊令堂，方好問親于姐姐。〔旦〕到俺家來，只好見奴家，要見俺爹娘還早。〔生〕這般説，姐姐當真是那樣門庭？〔旦笑介〕〔生〕是怎生來？

【紅衫兒】看他温香艷玉神清絶，人間迥别。〔旦〕不是人間，難道天上？〔生〕怎獨自夜深行，邊厢少侍妾？且説個貴表尊名。〔旦歎介〕〔生背介〕他把姓字香沈，敢怕似飛瓊漏洩？姐姐，不肯泄漏姓名，定是天仙了。薄福書生，不敢再陪歡宴。儘仙姬留意書生，怕逃不過天曹罰折。

【前腔】〔旦〕道奴家天上神仙列，前生壽折。〔生〕不是天上，難道人間？〔旦〕便作是私奔，悄悄何妨説。〔生〕不是人間，則是花月之妖？〔旦〕正要你掘草尋根，怕不待勾辰就月。〔生〕是怎麽説？〔旦欲説又止介〕不明白辜負了幽期，話到尖頭又咽。

【相思令】〔生〕姐姐，你千不説，萬不説，直恁的書生不酬決，更向誰邊説？〔旦〕待要説，如何説？秀才，俺則怕聘則爲妻奔則妾，受了盟香説。〔生〕你要小生發願，定爲正妻，便與姐姐拈香去。

【滴溜子】〔生旦同拜〕神天的，神天的，盟香滿爇。柳夢梅，柳夢梅，南安郡舍。遇了這佳人提挈。作夫妻，生同室，死同穴。口不心齊，壽隨香滅。

〔旦泣介〕〔生〕怎生弔下淚來？〔旦〕感君情重，不覺淚垂。

【鬧樊樓】②你秀才郎爲客偏情絶，料不是虚脾把盟誓撇。哎，話弔在喉嚨翦了舌。囑東君在意者。精神打疊，暫時間奴兒迴避趄。些兒待説，你敢撲懺忪害跌。

〔生〕怎的來？〔旦〕秀才，這春容得從何處？〔生〕太湖石縫裏。〔旦〕比奴家容貌争多？〔生看驚介〕可怎生一個粉撲兒。〔旦〕可知道，奴家便是畫中人也。〔生合掌謝畫介〕小生燒的香到哩。姐姐，你好歹表白一些兒。

【啄木犯③】〔旦〕柳衙内，聽根節：杜南安原是俺親爹。〔生〕呀，前任杜老先生陞任揚州，怎麽丢下小姐？〔旦〕你翦了燈。〔生翦燈介〕〔旦〕翦了燈，餘話堪明滅。〔生〕且請問芳名？青春多少？〔旦〕杜麗娘小字有庚帖，年華二八正是婚時節。〔生〕是麗娘小姐，俺的人那！〔旦〕衙内，奴家還未是人。〔生〕不是人是鬼？〔旦〕是鬼也。〔生驚介〕怕也！怕也！〔旦〕靠邊些，聽俺消詳說。話在前教伊休害怯，俺雖則是小鬼頭人半截。〔生〕姐姐，因何得回陽世而會小生？

【前腔】〔旦〕雖則是，陰府別。看一面千金小姐，是杜南安那些枝葉。注生妃央及煞回生帖，化生娘點活了殘生劫，你後生兒蘸定俺前生業。秀才，你許了俺爲妻真切，少不得冷骨頭着疼熱。〔生〕你是俺妻，俺也不害怕了。難道便請起你來？怕似水中撈月，空裏拈花。

【三段子】〔旦〕俺三光不滅，鬼胡由，還動迭，一靈未歇。潑殘生，堪轉折。秀才可諳經典？是人非人心不別，是幻非幻如何說？雖則似空裏拈花，卻不是水中撈月。〔生〕既然雖死猶生，敢問仙墳何處？〔旦〕記取太湖石梅樹一株。

【前腔】愛的是花園後節，夢孤清，梅花影斜。熟梅時節，爲仁兒，心酸那些。〔生〕怕小姐別有走跳處？〔旦歎介〕便到九泉無屈折，銜幽香一陣昏黃月。〔生〕好不冷！〔旦〕凍的俺七魄三魂，僵做了三貞七烈。〔生〕則怕驚了小姐的魂，怎好？

【鬬雙鷄】④〔旦〕花根木節，有一個透人間路穴，俺冷香肌早偎的半熱。你怕驚了呵，悄魂飛越，則俺見了你回心心不滅。〔生〕話長哩。〔旦〕暢好是一夜夫妻，有的是三生話説。〔生〕不煩姐姐再三，只俺獨力難成。〔旦〕可與姑姑計議而行。〔生〕未知深淺，怕一時開攢不徹？

【上小樓】⑤〔旦〕咨嗟，你爲人爲徹。俺砌籠棺勾有三尺疊，你點剛鍬和俺一謎掘。就裏陰風瀉瀉，則隔的陽世些些。〔内鷄鳴介〕

【鮑老催】⑥〔旦〕咳，長眠人一向眠長夜，則道鷄鳴枕空設。今夜呵，夢回遠塞荒鷄咽，覺人間風味別。曉風明滅，子規聲容易吹殘月，三分話纔做一分説。

【耍鮑老】俺丁丁列列，吐出在丁香舌。你拆了俺丁香結，須粉碎俺丁香節。休殘慢，須急切。俺的幽情難盡説，〔内風起介〕則這一翦風動靈衣去了也。〔旦急下〕

〔生驚癡介〕奇哉！奇哉！柳夢梅做了杜太守的女婿，敢是夢也？待俺來回想一番：他名字杜麗娘，年華二八，死葬後園梅樹之下。啐！分明是人道交感，有精有血，怎生杜小姐顛倒自己説是鬼？〔旦又上介〕衙内還在此。〔生〕小姐，怎又回來？〔旦〕奴家還有叮嚀：你既以俺爲妻，可急視之，不宜自誤。如或不然，妾事已露，不敢再來相陪。願郎留心，勿使可惜。妾若不得復生，必痛恨君於九泉之下矣！

【尾聲】〔跪介〕柳衙内你便是俺再生爺，〔生跪扶起介〕〔旦〕一點心憐念妾。不着俺黄泉恨你，你只罵的俺一句鬼隨邪。〔旦作鬼聲下，回顧介〕

〔生弔場，低語介〕柳夢梅着鬼了。他説的恁般分明，恁般悽切，是無是有，只得依言而行。和姑姑商量去。

夢來何處更爲雲，李商隱　惆悵金泥簇蝶裙。韋氏子

欲訪孤墳誰引至？劉言史　有人傳示紫陽君。熊孺登

【校】

①【瑣寒牕】，格正、葉譜以爲是【瑣牕寒】之誤。南詞新譜卷一二云：「【瑣牕寒】與詩餘不同，今作【瑣寒牕】非也。」可見由來已久，非自我作古也。下同。　②【鬧樊樓】，格正、葉譜以爲當作【滴滴金】。二曲句格相近，偶有出入，似不必遽改。　③【啄木犯】即【啄木鸝】，謂【啄木兒】犯【黄鶯兒】也。　④【鬪雙鷄】即【滴溜子】，與此曲句格不合，格正題作【神仗子】，謂【神仗兒】犯【滴溜子】；葉譜題作【神仗雙聲】，謂【神仗兒】犯【雙聲子】。　⑤【上小樓】，爲避免與北曲同名曲牌混淆，或改【登小樓】，或改【下小樓】，手法不同，其意則一。　⑥【鮑老催】，格正將此曲與下【耍鮑老】合併，統題作【永團圓】。葉譜以此曲爲【滴滴金】；【耍鮑老】爲【三節鮑老】，謂首尾爲【鮑老催】，中間爲【倒接鮑老催】。文林本將兩曲都誤題【耍鮑老】；朱墨本合兩曲爲一，也作【耍鮑老】。

第三十三齣　祕議

【遶池遊】〔净上〕芙蓉冠帔，短髪難簪繫，一鑪香鳴鐘叩齒。人易老，事多妨，夢難長。一點深情，三分淺土，半壁斜陽。

【訴衷情】風微臺殿響笙簧，空翠冷霓裳。池畔藕花深處，清切夜聞香。俺這梅花觀，爲着杜小姐而建。當初杜老爺分付陳教授看管，三年之内，則見他收取祭租，並不常川行走。便是杜老爺去後，謊了一府州縣士民人等許多分子，起了個生祠。昨日老身打從祠前過，豬屎也有，人屎也有。陳最良，陳最良，你可也叫人掃刮一遭兒。到是杜小姐神位前，日逐添香換水，何等莊嚴清净！正是：天下少信掉書子，世外有情持素人。

【前腔】〔生上〕幽期密意，不是人間世，待聲揚徘徊了半日。〔見介〕〔生〕落花香覆紫金堂，〔净〕你年少看花敢自傷？〔生〕弄玉不來人换世，〔净〕麻姑一去海生桑。〔生〕老姑姑，小生自到仙居，不曾瞻禮寶殿。今日願求一觀。〔净〕是禮，相引前行。〔行到介〕〔净〕高處玉天金闕，下面東嶽夫人，南斗真妃。〔内鐘鳴〕〔生拜介〕中天積翠玉臺遥，上帝高居絳節朝。遂有馮夷來擊鼓，始知秦女善吹簫。好一座寶殿哩。怎生左邊這牌位上，寫着杜小姐神王？是那位女王？〔净〕是没人題①主哩，杜小姐。〔生〕杜小姐爲誰？

【五更轉】〔净〕你説這紅梅院，因何置？是杜參知前所爲。麗娘原是他香閨女，十八而亡，就此攢瘞。他爺呵，陞任急，失題主，空牌位。〔生〕誰祭掃他？〔净〕好墓田留下有碑記，偏他没頭主兒，年年寒食。

〔生哭介〕這等説起來，杜小姐是俺嬌妻呵。〔净驚介〕秀才當真麽？〔生〕千真萬真！〔净〕這等，你知他那日生？那日死了？

【前腔】〔生〕俺未知他生，焉知死？死多年生此時。〔净〕幾時得他死信？〔生〕這是俺朝聞夕死了可人矣。〔净〕是夫妻，應你奉事香火。〔生〕則怕俺未能事人，焉能事鬼？〔净〕既是秀才娘子，可曾會他來？〔生〕便是這紅梅院，做楚陽臺，偏倍了你。〔净〕是那一夜？〔生〕是前宵你們不做美。〔净驚介〕秀才着鬼了，難道？難道？〔生〕你不信時，顯個神通你看。取筆來，點的他主兒會動。〔净〕有這等事，筆在此。〔生點介〕看俺點石爲人，靠夫作主。

你瞧，你瞧。〔净驚介〕奇哉！奇哉！主兒真個會動也。小姐呵，

【前腔】則道墓門梅，立着個没字碑，原來柳客神纏住在香爐裏。秀才，既是你妻，鼓盆歌廬墓三年禮。〔生〕還要請他起來。〔净〕你直恁神通，敢閻羅是你？〔生〕少些人夫用。〔净〕你當夫，他爲人，堪使鬼。〔生〕你也幫一鍬兒。〔净〕大明律開棺見屍，不分首從皆斬哩。你宋書生是看不着皇明例，不比尋常，穿籬挖壁。

〔生〕這個不妨，是小姐自家主見。

【前腔】是泉下人，央及你，個中人誰似伊？〔净〕既是小姐分付，待俺檢個日子。〔看介〕恰好明日乙酉，可以開墳。〔生〕喜金鷄玉犬非牛日，則待尋個人兒，開山力士。〔净〕俺有個侄兒癩頭黿可用，只怕事發之時怎處？〔生〕但回生，免聲息，停商議，可有偷香竊玉劫墳賊？還一事，小姐儻然回生，要些定魂湯藥。〔净〕陳教授開張藥鋪，只說前日小姑姑黨了凶煞，求藥安魂。〔生〕煩你快去也，這七級浮圖，豈同兒戲。

〔净〕涇雲如夢雨如塵，崔魯　〔生〕初訪城西李少君。陳羽

〔净〕行到窈娘身没處，雍陶　〔生〕手披荒草看孤墳。劉長卿

【校】

①題，原誤作「提」，當改。

〔末上〕積年儒學理粗通，書篋成精變藥籠。家童喚俺老員外，街坊喚俺老郎中。俺陳最良失館，依然重開藥鋪。今日看有甚人來？

【女冠子】〔净上〕人間天上，道理都難講。夢中虛誑，更有人兒，思量泉壤。

陳先生利市哩！〔末〕老姑姑到來。〔净〕好鋪面，這「儒醫」二字，杜太爺贈的。好道地藥材，這兩塊土中甚用？〔末〕是寡婦牀頭土，男子漢有鬼怪之疾，清水調服，良。〔净〕這布片兒何用？〔末〕是壯男子的褌襠，婦人有鬼怪之病，燒灰喫了，效。〔净〕這等，俺貧道牀頭三尺土，敢換先生五寸襠。〔末〕怕你不十分寡？〔净〕啐！你敢也不十分壯？〔末〕罷了，來意何事？〔净〕不瞞你說，前日小道姑呵，

【黄鶯兒】年少不隄防，賽江神歸夜忙。〔末〕着手了？〔净〕知他着甚閒空曠，被凶神煞黨，年災月殃，瞑然一去無回向。〔末〕欠老成哩。〔净〕細端詳，你醫王手段，敢對的住活閻王。

〔末〕是活的？死的？〔净〕死幾日了。〔末〕死人有口喫藥？也罷，便是這燒襠散，用熱酒調服下。

【前腔】海上有仙方，這偉男兒深褌襠。〔净〕則這種藥俺那裏自有。〔末〕則怕姑姑記

不起誰陽壯？·剪裁寸方，燒灰酒娘，敲開齒縫把些兒放。不尋常，安魂定魄，賽過了反精香。

〔净〕謝了！

〔末〕還隨女伴賽江神，于鵠　〔净〕争那多情足病身。韓偓

〔末〕巖洞幽深門盡鎖，韓愈　〔净〕隔花催唤女醫人。②王建

【校】

①詷，原作「調」，當改。　②下場詩，各本一、三兩句上有「末」字，二、四兩句上有「净」字。

【字字雙】〔丑扮疙童，持鍬上〕豬尿泡疙疸偌盧胡，没褲。鏵鍬兒入的土花疎，没骨。活小娘不要去做鬼婆夫，没路。偷墳賊拿倒做個地官符，没趣。

〔笑介〕自家梅花觀主家癩頭黿便是。觀主受了柳秀才之托，和杜小姐啓墳。好笑，好笑，説杜小姐要和他這裏重做夫妻。管他人話鬼話，帶了些黄錢，挂在這太湖石上，點起香來。

【出隊子】〔净攜酒同生上〕玉人何處？玉人何處？近墓西風老緑蕪。竹枝歌唱的女郎蘇，杜鵑聲啼過錦江無？一窖愁殘，三生夢餘。

〔生〕老姑姑，已到後園，只見半亭瓦礫，滿地荆榛。繡帶重尋，裊裊藤花夜合；羅裙欲認，青青蔓草春長。則記的太湖石邊，是俺拾畫之處。依稀似夢，恍惚如亡，怎生是好？〔净〕秀才不要忙，梅樹下堆兒是了。〔生〕小姐，好傷感人也！〔哭介〕〔丑〕哭甚的，趁時節了。〔燒紙介〕〔生拜介〕巡山使者，當山土地，顯聖顯靈。

【啄木鸝】①〔生〕開山紙草面上鋪，煙罩山前紅地爐。〔丑〕敢太歲頭上動土，向小姐脚跟窆窟。〔生〕土地公公，今日開山，專爲請起杜麗娘，不要你死的，要個活的。你爲神正直應無妬，俺陽神觸煞俱無慮。要他風神笑語都無二，便做着你土地公公女嫁吾。呀！

春在小梅株。

好破土哩。

【前腔】〔丑净鍬土介〕這三和土一謎鉏。小姐呵，半尺孤墳你在這的無？〔生〕你們十分小心。〔看介〕到棺了。〔丑作驚丢鍬介〕到官没活的了。〔生摇手介〕禁聲！〔内旦作哎喲介〕〔衆驚介〕活鬼做聲了。〔生〕休驚了小姐。〔衆蹲向鬼門，開棺介〕〔净〕原來釘頭鏽斷，子口登開，小姐敢別處送雲雨去了。〔内「哎喲」介〕〔生見旦扶介〕〔生〕哎，小姐端然在此。異香襲人，幽姿如故。天也，你看正面上那些兒塵漬，斜空處没半米蚍蜉。則他煖幽香四片斑爛木，潤芳姿半榻黄泉路，養花身五色燕支土。〔扶旦軟嚲介〕〔生〕俺爲你款款偎將睡臉扶，休損了口中珠。

〔旦作嘔出水銀介〕〔丑〕一塊花銀，二十分多重，賞了癩頭罷。〔生〕此乃小姐龍含鳳吐之精，小生當奉爲世寶，你們別有酬犒。〔旦開眼歎介〕〔净〕小姐開眼哩。〔生〕天開眼了。小姐呵，

【金蕉葉】〔旦〕是真是虚，劣夢魂猛然驚遽。〔作掩眼介〕避三光業眼難舒，怕一弄兒巧風吹去。

〔生〕怕風怎好？〔净扶旦介〕且在這牡丹亭内，進還魂丹，秀才翦襠。〔生翦介〕〔丑〕待俺湊些加味還魂散。〔生〕不消了，快熱酒來。

【鶯啼序】〔調酒灌介〕玉喉嚨半點靈酥，〔旦吐介〕〔生〕哎也，怎生呵落在胸脯。姐姐再進些，纔喫下三個多半口還無。〔覷介〕好了，好了，喜春生顔面肌膚。〔旦覷介〕這些都是誰？敢是些無端道途？弄的俺不着墳墓。〔生〕我便是柳夢梅。〔旦〕晤矇覷，怕不是梅邊柳邊人數。

〔生〕有這道姑爲證。〔净〕小姐可認得道姑麽？〔旦看不語介〕

【前腔】〔净〕你乍回頭記不起俺這姑姑。〔生〕可記的這後花園？〔旦不語介〕〔净〕是了，你夢境模糊。〔旦〕只那個是柳郎？〔生應〕〔旦作認介〕柳郎真信人也，虧殺你撥草尋蛇，虧殺你守株待兔。棺中寶玩收存，諸餘抛散池塘裏去。〔衆〕呸！〔丢去棺物介〕向人間別畫個葫蘆，水邊頭洗除凶物。〔衆〕虧小姐整整睡這三年。〔旦〕流年度，怕春色三分一分塵土。

〔生〕小姐，此處風露，不可久停，好處將息去。

【尾聲】死工夫救了你活地獄，七香湯瑩了美食相扶。〔旦〕扶往那裏去？〔净〕梅花觀。〔旦〕可知道洗棺塵都是這高唐觀中雨。

〔生〕天賜燕支一抹腮，羅隱　〔旦〕隨君此去出泉臺。景舜英

〔净〕俺來穿穴非無意，張祜　〔生〕願結靈姻愧短才。潘雍

【校】

①【啄木鸝】，格正本題作【啄木三鸝】，謂【啄木兒】犯【三段子】、【黄鶯兒】。葉譜題作【啄木三歌】，謂【啄木兒】犯【三段子】、【太平歌】。

第三十六齣　婚走

【意難忘】〔净扶旦上〕〔旦〕如笑如呆，歎情絲不斷，夢境重開。〔净〕你驚香辭地府，輿櫬出天台。〔旦〕姑姑，俺强挣作、軟咍咍，重嬌養起這嫩孩孩。〔合〕尚疑猜，怕如煙入抱，似影投懷。

【畫堂春】〔旦〕蛾眉秋恨滿三霜，夢餘荒冢斜陽。土花零落舊羅裳，睡損紅妝。〔净〕風定彩雲猶怯，火傳金炧重香。如神如鬼費端詳，除是高唐。〔旦〕姑姑，奴家死去三年，爲鍾情一點，幽契重生，皆虧柳郎和姑姑信心提救。又以美酒香酥，時時將養，數日之間，稍覺精神旺相。〔净〕好了，秀才三回五次，央俺成親哩。〔旦〕姑姑，這事還早，揚州問過了老相公老夫人，請個媒人方好。〔净〕好消停的話兒，這也由你。則問小姐前生事，可都記的些麽？

【勝如花】〔旦〕前生事、曾記懷，爲①傷春病害。困春遊夢境難捱，寫春容那人兒拾在。那勞承、那般頂戴，似盼天仙盼的眼咍，似叫觀音叫的口歪。〔净〕俺也聽見些，則小姐泉下怎生得知？〔旦〕雖則塵埋，把耳輪兒熱壞。感一片志誠無奈，死淋浸走上陽臺，活森沙走出這泉臺。

〔净〕秀才來哩。

【生查子】〔生上〕艷質久塵埋，又挣出這煙花界。你看他含笑插金釵，擺動那長裙帶。

〔見介〕麗娘妻。〔旦羞介〕〔生〕姐姐，俺地窟裏扶卿做玉真，〔旦〕重生勝過父娘親。〔生〕便好今宵成配偶，〔旦〕懵騰還自少精神。〔净〕起前説精神旺相，則瞞着秀才。〔旦〕秀才，可記的古書云：必待父母之命，媒妁之言。〔生〕日前雖不是鑽穴相窺，早則鑽墳而入了，小姐今日又會起書來。〔旦〕秀才，比前不同，前夕鬼也，今日人也。鬼可虚情，人須實禮，聽奴道來：

【勝如花】青臺閉、白日開，〔拜介〕秀才呵，受的俺三生禮拜。待成親少個官媒，〔泣介〕結盞的要高堂人在。〔生〕成了親，訪令尊令堂，有驚天之喜。要媒人，道姑便是。〔旦〕秀才，忙待怎的？也曾落幾個黄昏陪待。〔生〕今夕何夕？〔旦〕直恁的急色秀才。〔生〕小姐搗鬼。〔旦笑介〕秀才搗鬼。不是俺鬼奴台妝妖作乖。〔生〕爲甚？〔旦笑介〕半死來回，怕的雨雲驚駭。有的是這人兒活在，但將息俺半載身材，〔背介〕但消停俺半刻情懷。

【不是路】②〔末上〕深院閒階，花影蕭蕭轉翠苔。〔扣門介〕人誰在？是陳生探望柳君來。〔衆驚介〕〔生〕陳先生來了，怎好？〔旦〕姑姑，俺迴避去。〔下〕〔末〕忒奇哉，怎女兒聲息紗窗外？硬抵門兒應不開。〔又扣門介〕〔生〕是誰？〔末〕陳最良。〔開門見介〕〔生〕承車蓋，俺衣冠未整因遲待。〔末〕有些驚怪。〔生〕有何驚怪？

【前腔】〔末〕不是天台，怎風度嬌音隔院猜？〔净上〕原來陳齋長到來。〔生〕陳先生説裏面婦娘聲息，則是老姑姑。〔净〕是了，長生會，蓮花觀裏一個小姑來。〔末〕便是前日的小姑麽？〔净〕另是一衆。〔末〕好哩，這梅花觀一發興哩，也是杜小姐冥福所致。因此徑來相約，明午整個小盒兒，同柳兄往墳上隨喜去，暫告辭了。無閒會，今朝有約明朝在，酒滴青娥墓上回。〔生〕承拖帶，這姑姑點不出個茶兒待。即來回拜。〔末〕慢來回拜。〔下〕

〔生〕喜的陳先生去了，請小姐有話。〔旦上〕〔净〕怎了？怎了？陳先生明日要上小姐墳去，事露之時，一來小姐有妖冶之名；二來公相無閨閫之教；三來秀才坐迷惑之譏；四來老身招發掘之罪。如何是了？〔旦〕老姑姑，待怎生好？〔净〕小姐，這柳秀才待往臨安取應，不如曲成親事，叫童兒尋隻贛船，夤夜開去，以滅其蹤，意下何如？〔旦〕這也罷了。〔净〕有酒在此，你二人拜告天地。〔拜把酒介〕

【榴花泣】〔生〕三生一會，人世兩和諧，承合巹、送金杯。比墓田春酒這新醅，纔醱轉人面桃腮。〔旦悲介〕傷春便埋，似中山醉夢三年在。只一件來，看伊家龍鳳姿容，怎配俺這土木形骸。

〔生〕那有此話？

【前腔】相逢無路，良夜肯疑猜，眠一柳、當了三槐。杜蘭香真個在讀書齋，則柳耆卿不是仙才。〔旦歎介〕幽姿暗懷，被元陽鼓的這陰無賴。柳郎，奴家依然還是女身。〔生〕已經數度幽期，玉體豈能無損？〔旦〕那是魂，這纔是正身陪奉。伴情哥則是遊魂，女兒身依舊含胎。

〔外舟子歌上〕春娘愛上酒家子樓，不怕歸遲總弗子愁。推道那家娘子睡，且留教住要梳子頭。〔又歌〕不論秋菊和那春子個花，個個能噇空肚子茶。無事莫教頻入子庫，一名閒物他也要些子些。〔丑扮疙童上〕船，船，船，臨安去。〔外〕來，來，來。〔攏船介〕〔丑〕門外船便。相公篡下小姐班。〔淨辭介〕相公，小姐，小心去了。〔生〕小姐無人伏侍，煩老姑姑一行，得了官時相報。〔淨〕俺不曾收拾。〔背介〕事發相連，走爲上計。〔回介〕也罷，相公賞姪兒什麽？着他收拾俺房頭，俺伴小姐去來。〔丑〕使得。〔生〕便賞他這件衣服。〔解衣介〕〔丑〕謝了！事發誰當？〔生〕則推不知便了。〔丑〕這等請了。秃廝兒堪充道伴，女冠子權當梅香。〔下〕

【急板令】〔衆上船介〕別南安孤帆夜開，走臨安把雙飛路排。〔旦悲介〕〔生〕因何弔下淚來？〔旦〕歎從此天涯，從此天涯。歎三年此居，三年此埋。死不能歸，活了纔回。〔合〕問今夕何夕？此來、魂脈脈意哈哈。

【前腔】〔生〕似倩女返魂到來，采芙蓉回生並載。〔旦歎介〕〔生〕爲何又弔下淚來？〔旦〕想獨自誰挨？獨自誰挨？翠黯香囊，泥漬金釵。怕天上人間，心事難諧。〔合前〕

〔净〕夜深了，叫停船，你兩人睡罷。〔生〕風月舟中，新婚佳趣，其樂何如！〔旦〕柳郎，今日方知有人間之樂也。

【一撮棹】藍橋驛，把奈河橋風月篩。七星版，三星照，兩星排。今夜呵，把身子兒帶，情兒邁、意兒挨。〔净〕你過河，衣帶緊、請寬懷。〔生〕眉横黛，小船兒禁重載。這歡眠自在，抵多少嚇魂臺。

【尾聲】〔生〕情根一點是無生債。〔旦〕歎孤墳何處是俺望夫臺？柳郎，俺和你死裏淘生情似海。

〔生〕偷去須從月下移，吴融　〔净〕好風偏似送佳期。陸龜蒙
〔旦〕傍人不識扁舟意，張蠙　〔净〕惟有新人子細知。戴叔倫

【校】

①「爲」字下，朱墨本有「着」字。此句原應六字，格正注云：「『爲』字上脱一字。」　②【不是路】，格正、葉譜題作【惜花賺】。

第三十七齣　駭變

【集唐】〔末上〕風吹不動頂垂絲雍陶，吟背春城出草遲朱慶餘。畢竟百年渾是夢元稹，夜來風雨葬西施韓偓。俺陳最良，只因感激杜太守，爲他看顧小姐墳塋。昨日約了柳秀才墳上望去，不免走一遭。〔行介〕巖扉不掩雲長在，院徑無媒草自生。待俺叫門。〔叫介〕呀，往常門兒重重掩上，今日都開在此。待俺參了聖。〔看菩薩介〕咳，冷清清没香没燈的。呀，怎不見了杜小姐牌位？待俺問一聲老姑姑。〔叫三聲介〕俗家去了？待俺叫柳兄問他。〔叫介〕柳朋友！〔又叫介〕柳先生！一發不應了。〔看介〕嗄，柳秀才去了。醫好了病，來不參，去不辭。没行止，没行止。待俺西房瞧瞧。哎喲，道姑也搬去了。磬兒鍋兒牀席，一些都不見了，怪哉！〔想介〕是了，日前小道姑有話，日昨又聽的小道姑聲息，於中必有柳夢梅勾搭事情，一夜去了。没行止，没行止。由他，由他。到後園看小姐墳去。〔行介〕

【懶畫眉】園深徑側老蒼苔，那幾所月榭風亭久不開，當時曾此葬金釵。〔望介〕呀，舊墳高高兒的，如何平下來了。緣何不見墳兒在？敢是狐兔穿空倒塌來？

這太湖石，只左邊靠動了些，梅樹依然。〔驚介〕哎呀！小姐墳被劫了也。〔放聲哭介〕

【朝天子】① 小姐，天呵！是甚麼發冢無情短倖材？他有多少金珠葬在打眼來。

小姐，你若早有人家，也搬回去了。則爲玉鏡臺無分照泉臺，好孤哉！怕蛇鑽骨、樹穿骸，不隄防這災。

知道了，柳夢梅嶺南人，慣了劫墳，將棺材放在近所，截了一角爲記，要人取贖。這賊意思，止不過説，杜老先生聞知，定來取贖。想那棺材，只在左近埋下了，待俺尋看。〔見介〕咳呀！這草窩裏，不是硃漆板頭？這不是大鏽釘開了去？天呵！小姐骨殖，丟在那裏？〔望介〕那池塘裏浮着一片棺材，是了，小姐尸骨拋在河裏去了，狠心的賊也！

【普天樂】問天天你怎把他昆池碎劫無餘在？又不欠觀音鎖骨連環債，怎丟他水月魂骸？亂紅衣暗泣蓮腮，似黑月重拋業海。待車乾池水，撈起他骨殖來。怕浪淘沙碎玉難分派，到不如當初水葬無猜。賊眼腦生來毒害，那些個憐香惜玉，致命圖財。

先師云：虎兕出於柙，龜玉毀于櫝中，典守者不得辭其責。俺如今先稟了南安府緝拿，星夜往淮揚，報知杜老先生去。

【尾聲】石虔婆，他古弄裏金珠曾見來。柳夢梅，他做得個破周書汲冢才。小姐呵，你道他爲什麼向金蓋銀墻做打家賊？

丘墳發掘當官路，韓　愈　春草茫茫墓亦無。白居易

致汝無辜由俺罪，韓愈　狂眠恣飲是凶徒。僧子蘭

【校】

①【朝天子】，格正題作【花郎兒】，謂【福馬郎】犯【水紅花】、【紅衫兒】。

第三十八齣　淮警

【霜天曉角】①〔净引衆上〕英雄出衆，鼓譟紅旗動。三年繡甲錦蒙茸，彈劍把雕鞍斜鞚。

賊子豪雄是李全，忠心赤膽向胡天。靴尖踢倒長天塹，卻笑江南土不堅。俺溜金王，奉大金之命，騷擾江淮三年。打聽大金家兵糧湊集，將次南征，教俺淮揚開路，不免請出賤房計議。中軍快請。〔衆叫介〕大王叫箭坊。〔老旦軍人持箭上〕箭坊俱已造完。〔净笑惱介〕狗才，怎麼説？〔老旦〕大王説請出箭坊計議。〔净〕胡説，俺自請楊娘娘，是你箭坊？〔老旦〕楊娘娘是大王箭坊，小的也是箭坊。〔净喝介〕

【前腔】〔丑上〕帳蓮深擁，壓寨的陰謀重。〔見介〕大王興也，你夜來鏖戰好粗雄，困的俺垓心没縫。

大王夫，俺睡倦了，請俺甚事商量？〔净〕聞的金主南侵，教俺攻打淮揚，以便征進。思想揚州有杜安撫守鎮，急切難攻，如何是好？〔丑〕依奴家所見，先圍了淮安，杜安撫定然赴救，俺分兵揚州，斷其聲援，於中取事。〔净〕高，高。娘娘這計，李全要怕你了。〔丑〕你那一宗兒不怕了奴家。〔净〕罷了，未封王號時，俺是個怕老婆的强盜；封王之後，也要做怕老婆的王。〔丑〕着了！快起兵去攻打淮城。

【錦上花】② 撥轉磨旗峯，促緊先鋒。千兵擺列，萬馬奔冲。鼓通通，鼓通通，譟的那淮揚動。

【前腔】〔衆〕軍中母大蟲，綽有威風。連環陣勢，煙粉牢籠。哈哄哄，哈哄哄，哄的那淮揚動。〔丑〕溜金王聽俺分付：軍到處，不許你搶占半名婦女。如違，定以軍法從事。〔净〕不敢。

〔丑〕日暮風沙古戰場，王昌齡　〔净〕軍營人學内家妝。司空圖

〔衆〕如今領帥紅旗下，張建封　〔净〕擘破雲鬟金鳳凰。曹唐

【校】

①【霜天曉角】，格正、葉譜俱題作【霜天杏】，謂【霜天曉角】犯【杏花天】。②【錦上花】，格正、葉譜改題【青王歌】。按，【錦上花】，次句五字。

【唐多令】〔生上〕海月未塵埋，〔旦上〕新妝倚鏡臺，〔生〕捲錢塘風色破書齋。〔旦〕夫，昨夜天香雲外吹，桂子月中開。

〔生〕夫妻客旅悶難開，〔旦〕待喚提壺酒一杯。〔生〕江上怒潮千丈雪，〔旦〕好似禹門平地一聲雷。〔生〕俺和你夫妻相隨，到了臨安京都地面，賃下一所空房，可以理會書史。争奈試期尚遠，客思轉深，如何是好？〔旦〕早上分付姑姑，買酒一壺，少解夫君之悶，尚未見回。〔生〕生受了。娘子，一向不曾說及，當初只說你是西鄰女子，誰知感動幽冥，匆匆成其夫婦？一路而來，到今不曾請教。小姐可是見小生於道院西頭？因何詩句上，不是梅邊是柳邊，就指定了小生姓名？這靈通委是怎的？〔旦笑介〕柳郎，俺說見你于道院西頭是假，俺前生呵，

【江兒水】偶和你後花園曾夢來，擎一朵柳絲兒要俺把詩篇賽。奴正題詠間，便和你牡丹亭上去了。〔生笑介〕可好哩？〔旦笑介〕咳，正好中間，落花驚醒。此後神情不定，一病奄奄。這是聰明反被聰明帶，真誠不得真誠在，冤親做下這冤親債。一點色情難壞，再世爲人，話做了兩頭分拍。

【前腔】〔生〕是話兒聽的都呆答孩，則俺爲情癡信及你人兒在。還則怕邪淫惹動陰曹怪，忌亡墳觸犯陰陽戒，分書生領受陰人愛。勾的你色身無壞，出土成人，又看見這帝城風采。

〔净提酒上〕路從丹鳳城邊過，酒向金魚館内沽。呀，相公小姐不知，俺在江頭沽酒，看見各路秀才，都赴選場去了，相公錯過天大好事。〔生旦作忙介〕〔旦〕相公，只索快行。〔净〕這酒便是狀元紅了。

〔旦把酒介〕

【小措大】喜的一宵恩愛，被功名二字驚開。好開懷①，這御酒三杯，放着四嬋娟人月在。立朝馬五更門外，聽六街裏喧傳人氣概。七步才，蹬上了寒宫八寶臺。沈醉了九重春色，便看花十里歸來。

【前腔】〔生〕十年窗下，遇梅花凍九纔開。夫貴妻榮，八字安排。敢你七香車穩情載，六宫宣有你朝拜，五花誥封你非分外。論四德，似你那三從結願諧。二指大泥金報喜，打一輪皂蓋飛來。

〔旦〕夫，我記的春容詩句來，

【尾聲】盼今朝得傍你蟾宫客，你和俺倍精神金階對策。高中了，同去訪你丈人丈母呵，則道俺從地窟裏登仙那大喝采。

〔旦〕良人的的有奇才，　劉氏

〔生〕紅粉樓中應計日，　杜審言

〔净〕恐失佳期後命催。　杜甫

〔合〕遥聞笑語自天來。　李端

【校】

① 格正云：「第三句脱一字。」

第四十齣　僕偵

【孤飛雁】①〔净郭駝挑擔上〕世路平消長，十年事老頭兒心上。柳郎君，翰墨人家長。無營運、單承望，天生天養，果樹成行。年深樹老，把園圍抛漾。你索在何方？好没主量。悽惶，趁上他身衣口糧。

家人做事興，全靠主人命。主人不在家，園樹不開花。俺老駝，一生依着柳相公，種果爲生。你説好不古怪？柳相公在家，一株樹上摘百十來個果兒。自柳相公去後，一株樹上生百十來個蟲；便胡亂長幾個果，小廝們偷個盡。老駝無主，被人欺負。因此發個老狠，體探俺相公過嶺北來了，在梅花觀養病，直尋到此。早則南安府大封條封了觀門，聽的邊廂人説，道婆爲事走了。有個姪兒癩頭黿，小西門住，找尋他去。〔行介〕抹過大東路，投至小西門。〔下〕

【金錢花】②〔丑扮疙童披衣笑上〕自小疙辣郎當，郎當。官司拿俺爲姑娘，姑娘。盡了法，腦皮撞。得了命，賣了房。充小廝，串街坊。

若要人不知，除非己不爲。自家癩頭黿便是。這無人所在，表白一會：你説姑娘和柳秀才那事，幹得好，又走得好。只被陳教授那狗才，稟過南安府，拿了俺去。拷問姑娘那裏去了？劫了杜小姐墳哩。你道俺更不聰明，卻也頗頗的，則掉着頭不做聲。那鳥官喝道：馬不弔不肥，人不拶不直。把這廝上起腦箍來。哎也！哎也！好不生疼。原來用刑人，先撈了俺一架金鐘玉磬，替俺方便，稟說：這小廝夾出腦髓來了。那鳥官喝道：撚上來瞧。瞧了，大鼻子一彫，説道：這小廝真個夾出腦漿來了。不知是俺癩頭上膿，叫鬆了刑，着保在外。俺如今有了命，把柳相公送俺這件黑海青，穿擺將起來。〔唱介〕擺摇摇，擺擺摇，没人所在，被俺擺過子橋。〔净向前叫揖介〕小官唱喏。〔丑作不回揖，大笑唱介〕俺小官子腰閃價，唱不的子喏。比似你個駝子唱喏，則當伸子個腰。〔净〕這賊種！開口傷人。難道做小官的，背偏不駝？〔丑〕刮這駝子嘴！偷了你什麽？賊！〔净作認丑衣介〕别的罷了，則這件衣服，嶺南柳相公的，怎在你身上？〔丑〕咳呀，難道俺做小官的，就没件干净衣服？便是嶺南柳家的。隔這般一道梅花嶺，誰見俺偷來？〔净〕這衣帶上有字，你還不認？叫地方！〔扯丑作怕倒介〕罷了，衣服還你去囉。〔净〕耍哩，我正要問一個人？〔丑〕誰？〔净〕柳秀才那裏去了？〔丑〕不知。〔净三問〕〔丑三不知介〕〔净〕你不說，叫地方去。〔丑〕罷了，大路頭難好講話，演武廳去。〔行介〕〔净〕好個僻静所在。〔丑〕柳秀才到有一個，可是你問的不是？你說的像，俺說；你說不像，休想。叫地方，便到官司，俺也只是不說。〔净〕這小廝到賊。聽俺道來：

【尾犯序】提起柳家郎，他俊白龐兒，典雅行藏。〔丑〕是了，多少年紀？〔净〕論儀表看他，三十不上。〔丑〕是了。你是他什麽人？〔净〕他祖上，傳留下俺栽花種糧，自小兒俺看成他快長。〔丑〕原來你是柳大官。你幾時别他？知他做出甚事來？〔净〕春頭别，跟尋至此，聞説的不端詳。〔丑〕這老兒説的一句句着。老兒，若論他做的事，咦！〔作扯浄耳語〕〔浄不聽見介〕〔丑〕呸，左則無人，要他去。老兒，你聽者：

【前腔】他到此病郎當，逢着個杜太爺衙教小姐的陳秀才，勾引他養病菴堂，去後園遊賞。〔浄〕後來？〔丑〕一遊遊到杜小姐墳兒上，拾的一軸春容，朝思暮想，做出事來。〔浄〕怎的來？〔浄〕秀才家爲真當假，劫墳偷壙。〔浄驚介〕這卻怎了？〔丑〕你還不知，被那陳教授稟了官，圍住觀門，拖翻柳秀才，和俺姑娘，行了杖，棚琶拶壓，不怕不招。點了供紙，解上江西提刑廉訪司，問那六案都孔目，這男女應得何罪？六案請了律令，稟復道：但偷墳見屍者，依律一秋。〔浄〕怎麼秋？〔丑作按浄頭介〕這等秋。〔浄驚哭介〕俺的柳秀才呵，老駝没處投奔了。〔丑笑介〕休慌，後來遇赦了，便是那杜小姐活轉來哩。〔浄〕有這等事？〔丑〕活鬼頭還做了秀才正房，俺那死姑娘到做了梅香伴當。〔浄〕何往？〔丑〕臨安去，送他上路，賞這領舊衣裳。

〔浄〕嚇俺一跳，卻早喜也！

【尾聲】去臨安定是圖金榜，〔丑〕着了。〔浄〕俺勒挣着軀腰走帝鄉。〔丑〕老哥，你路上精細些，現如今一路裏畫影圖形捕兇黨。

〔浄〕尋得仙源訪隱淪，朱灣　〔丑〕郡城南下是通津。柳宗元

〔净〕衆中不敢分明説，于　鵠　〔丑〕遥想風流第一人。王　維

【校】

①【孤飛雁】，格正題作【新郎撫孤雁】，謂【賀新郎】犯【孤飛雁】。②【金錢花】，格正、葉譜以爲當改爲【紅繡鞋】。

【鳳凰閣】〔浄苗舜賓引衆上〕九邊烽火咤，秋水魚龍怎化？廣寒丹桂吐層花，誰向雲端折下？〔合〕殿闈深鎖，取試卷看詳回話。

【集唐】鑄時天匠待英豪譚用之，引手何妨一釣鼇李咸用？報答春光知有處杜甫，文章分得鳳凰毛元稹。下官苗舜賓便是。聖上因俺香山能辨番回寶色，欽取來京典試。因金兵摇動，臨軒策士，問和戰守三者孰便？各房俱已取中頭卷，聖旨着下官詳定。想起來看寶易，看文字難。爲什麽來？俺的眼睛原是貓兒睛，和碧緑琉璃水晶無二，因此一見真寶，眼睛火出；説起文字，俺眼裏從來没有。如今卻也奉旨無奈，左右開箱，取各房卷子上來。〔衆取卷上〕〔浄作看介〕這試卷好少也。且取天字號三卷，看是何如？第一卷詔問和戰守三者孰便？臣謹對：臣聞國家之和賊，如里老之和事。呀，里老和事，和不的，罷；國家事，和不來，怎了？本房擬他狀元，好没分曉！且看第二卷，這意思主守。〔看介〕臣聞天子之守國，如女子之守身。也比的小了。再看第三卷，到是主戰。〔看介〕臣聞南朝之戰北，如老陽之戰陰。此語忒奇，但是周易有陰陽交戰之説。以前主和，被秦太師誤了，今日權取主戰者第一，主守者第二，主和者第三。其餘諸卷，以次而定。

【一封書】文章五色訛，怕冬烘頭腦多。總費他墨磨，筆尖花無一個。恁這裏

龍門日日開無那，都待要尺水翻成一丈波。卻也無奈了，也是浪桃花當一科，池裏無魚可奈何？〔封卷介〕

【神仗兒】〔生上〕風塵戰鬬，風塵戰鬬，奇才輻輳。〔丑〕秀才來的停當，試期過了。〔生〕呀！試期過了，文字可進呈麽？〔丑〕不進呈，難道等你？道英雄入彀，恰鎖院進呈時候。〔生〕怕没有狀元在裏也哥？〔丑〕不多，有三個了。〔生〕萬馬争先，偏驊騮落後。你快稟，有個遺才狀元求見。〔丑〕這是朝房裏面，府州縣道，告遺才哩。〔生〕大哥，你真個不稟？〔哭介〕天呵！苗老先賫發俺來獻寶，止不住卞和羞，對重瞳雙淚流。

〔净聽介〕掌門的，這什麽所在，拿過來！〔丑扯生進介〕〔生〕告遺才的，望老大人收考。〔净〕哎也，聖旨臨軒，翰林院封進，誰敢再收。〔生哭介〕生員從嶺南萬里帶家口而來，無路可投，願觸金階而死。〔生起觸階〕〔丑止介〕〔净背云〕這秀才像是柳生，真乃南海遺珠也。〔回介〕秀才上來，可有卷子？〔生〕卷子備有。〔净〕這等，姑准收考，一視同仁。〔生跪介〕千載奇遇。〔净念題介〕聖旨問汝多士：近聞金兵犯境，惟有和戰守三策，其便何如？〔生叩頭介〕領聖旨。〔起介〕〔丑〕東席舍去。〔生寫策介〕〔净再將前卷細觀看介〕頭卷主戰，二卷主守，三卷主和。主和的怕不中聖意？〔生交卷，净看介〕呀，風簷寸晷，立掃千言，可敬，可敬。俺急忙難看，只説和戰守三件，你主那一件兒？〔生〕生員也無偏主。可戰，可守，而後能和。如醫用藥，戰爲表，守爲裏，和在表裏之間。〔净〕高見，高見。則當今事勢何如？

【馬蹄花】①〔生〕當今呵，寶駕遲留，則道西湖晝錦遊。爲三秋桂子，十里荷香，一段邊愁。則願的吴山立馬那人休，俺燕雲唾手何時就？若止是和呵，小朝廷羞殺江南；便戰守呵，請鑾輿略近神州。

〔净〕秀才言之有理。

【前腔】聖主垂旒，想泣玉遺珠一網收。對策者千餘人，那些不知時務，未曉天心，怎做儒流？似你呵，三分話點破帝王憂，萬言策檢盡乾坤漏。〔生〕小生嶺南之士。〔净低介〕知道了，你釣竿兒拂綽了珊瑚，敢今番着了鼇頭。

秀才，午門外候旨。〔生應出，背介〕這試官卻是苗老大人，嫌疑之際，不敢相認。且當青鏡明開眼，惟願朱衣暗點頭。〔下〕〔净〕試卷俱已詳定，左右跟隨進呈去。〔行介〕絲綸閣下文章静，鐘鼓樓中刻漏長。呀，那裏鼓響？〔内急擂鼓介〕〔丑〕是樞密府樓前邊報鼓。〔内馬嘶介〕〔净〕邊報警急，怎了？怎了？〔外老樞密上〕花萼夾城通御氣，芙蓉小苑入邊愁。〔見介〕〔净〕老先生奏邊事而來？〔外〕便是。先生爲進卷而來？〔净〕正是。〔外〕今日之事，以緩急爲先後，僭了！〔外叩頭奏事介〕掌管天下兵馬知樞密院事臣謹奏俺主。〔内宣介〕所奏何事？〔外〕

【滴溜子】金人的，金人的，風聞入寇。〔内〕誰是先鋒？〔外〕李全的，李全的，前來戰鬬。〔内〕到什麽地方了？〔外〕報到了淮揚左右。〔内〕何人可以調度？〔外〕有杜寶現爲淮揚安撫，怕邊關早晚休，要星忙廝救②。

〔浄叩頭奏事介〕臣看卷官苗舜賓謹奏俺主：

【前腔】臨軒的，臨軒的，文章看就。呈御覽，呈御覽，定其卷首。黄道日傳臚祇候，衆多官在殿頭，把瓊林宴備久。

〔内〕奏事官午門外伺候。〔外浄同起介〕〔浄〕老先生，聽的金兵爲何而動？〔外〕適纔不敢奏知，金主此行，單爲來搶占西湖美景。〔浄〕癡韃子，西湖是俺大家受用的，若搶了西湖去，這杭州通没用了。〔内宣介〕聽旨：朕惟治天下有緩有急，乃武乃文。今淮揚危急，便着安撫杜寶前去迎敵，不可有遲。其傳臚一事，待干戈寧輯，偃武修文，可諭知多士。叩頭！〔外浄叩頭呼萬歲起介〕

〔外〕澤國江山入戰圖，曹　松　〔浄〕曳裾終日盛文儒。杜　甫

〔外〕多才自有雲霄望，錢　起　〔浄〕其奈邊防重武夫。杜　牧

【校】

①【馬蹄花】，格正題作【杏林馬】，葉譜題作【駐馬近】，俱謂【駐馬聽】犯【杏壇三操】（即【好事近】之别名）。　②格正云：「缺末二句；下曲亦然。」葉譜以爲是【滴溜子】的又一體。

第四十二齣　移　鎮

【夜遊朝】①〔外杜安撫引衆上〕西風揚子津頭樹，望長淮渺渺愁予。枕障江南，鉤連塞北，如此江山幾處？

【訴衷情】砧聲又報一年秋。江水去悠悠。塞草中原何處？一雁過淮樓。　天下事，鬢邊愁，付東流。不分吾家小杜，清時醉夢揚州。自家淮揚安撫使杜寶。自到揚州三載，雖則李全騷擾，喜得大勢平安。昨日打聽金兵要來，下官十分憂慮。可奈夫人不解事，偏將亡女絮傷心。

【似娘兒】〔老旦引貼上〕夫主掣兵符，也相從燕幙棲遲。〔歎介〕畫屏風外秦淮樹，看兩點金焦，十分眉恨，片影江湖。

〔老〕相公萬福。〔外〕夫人免禮。【玉樓春】〔老〕相公，幾年別下南安路，春去秋來朝復暮。〔外〕空懷錦水故鄉情，不見揚州行樂處。〔老〕你摩挲老劍評今古，那個英雄閒處住？〔淚介〕〔合〕忘憂恨自少宜男，淚灑嶺雲江外樹。〔老〕相公，俺提起亡女，你便無言，豈知俺心中愁恨？一來爲苦傷女兒，二來爲全無子息。待趁在揚州，尋下一房，與相公傳後。尊意何如？〔外〕使不得，部民之女哩。〔老〕這等，過江金陵女兒可好？〔外〕當今王事恩恩，何心及此！〔老〕苦殺俺麗娘兒也！〔哭介〕〔净扮報子上〕詔從日月威光遠，兵洗江淮殺氣高。稟老爺：有朝報。〔外起看報介〕樞密院一本，爲金兵寇淮事。奉聖

第四十二齣　移鎮

旨：便着淮揚安撫使杜寶，刻日渡淮，不許遲誤。欽此！呀，兵機緊急，聖旨森嚴。夫人，俺同你移鎮淮安，就此起程了。〔丑扮驛丞上〕羽檄從參贊，牙籤報驛程。稟老爺：船隻齊備。〔内鼓吹介〕〔上船介〕〔内稟「合屬官吏候送」〕〔外分付「起去」介〕〔外〕夫人，又是一江秋色也。

【長拍】天意秋初，天意秋初，金風微度，城闕外畫橋煙樹。看初收潑火，嫩涼生微雨沾裾。移畫舸浸蓬壺，報潮生，風氣肅。浪花飛吐，點點白鷗飛近渡。風定也，落日摇帆映緑蒲，白雲秋窣的鳴簫鼓。何處菱歌，唤起江湖？

呀，岸上跑馬的什麼人？

【不是路】②〔末扮報子，跑馬上〕馬上傳呼，慢櫓停船看羽書。〔外〕怎的來？〔末〕那淮安府，李全將次逞狂圖。〔外〕可發兵守禦？〔末〕怎支吾，星飛調度憑安撫，則怕這水路裏躭延，你還走旱途。〔外〕休驚懼，夫人，吾當走馬紅亭路，你轉船歸去，轉船歸去。

〔老〕後面報馬又到哩。〔丑扮報子上〕

【前腔】萬騎胡奴，他要塹斷長淮塞五湖。老爺快行，休遲誤。小的先去也，怕圍城緩急要降胡。〔下〕〔老旦哭介〕待何如？你星霜滿鬢當戎虜，似這等烽火連天各路衢。〔外〕真愁促，怕揚州隔斷無歸路，再和你相逢何處？相逢何處？

夫人，就此告辭了。揚州定然有警，可徑走臨安。

【短拍】老影分飛，老影分飛，似參軍杜甫，把山妻泣向天隅。〔老哭介〕無女一身孤，亂軍中別了夫主。〔合〕有什麽命夫命婦，都是些鰥寡孤獨。生和死，圖的個夢和書。

【尾聲】〔老旦〕老殘生兩下裏自支吾。〔外〕俺做的是這地頭軍府。〔老旦〕老爺也，珍重你這滿眼兵戈一腐儒。

〔外下〕〔老旦歎介〕天呵，看揚州兵火滿道。春香，和你徑走臨安去也。

隋堤風物已淒涼，吴融　楚漢寧教作戰場。韓偓

閨閣不知戎馬事，薛濤　雙雙相趁下殘陽。羅鄴

【校】

①格正、葉譜作【夜行船】。參第八齣校①。　②【不是路】，格正、葉譜俱題作【惜花賺】。按，【不是路】爲賺之一種，句字原可增減。此改可謂多此一舉。

第四十三齣　禦淮

【六幺令】〔外引生末，衆扮軍上〕西風揚譟，漫騰騰殺氣兵妖，望黄淮秋捲浪雲高。排雁陣，展龍韜，斷重圍殺過河陽道①。走乏了。衆軍士，前面何處？〔衆〕淮城近了。〔外望介〕天呵，【昭君怨】剩得江山一半，又被胡笳吹斷。〔衆〕秋草舊長營，血風腥。〔外〕聽得猿啼鶴怨，淚溼征袍如汗。〔衆〕老爺呵，無淚向天傾，且前征。〔外〕衆三軍，俺的兒，你看咫尺淮城，兵勢危急，俺們一邊捨死，先衝入城；一面奏請朝廷，添兵救助。三軍，聽吾號令，鼓勇而行。〔衆哭應介〕謹如軍令。〔行介〕

【四邊静】坐鞍心把定中軍號，四面旌旗繞。旗開日影摇，塵迷日光小。〔合〕胡兵氣驕，南兵路遥。血暈幾重圍，孤城怎生料？〔外〕前面寇兵截路，衝殺前去！〔下〕

【前腔】〔净引丑、貼扮衆軍喊上〕李將軍射雁穿心落，豹子翻身嚼。單尖寶蹬挑，把追風膩旗兒裊。〔合前〕〔净笑介〕你看俺溜金王手下，雄兵萬餘，把淮陰城圍了七週遭，好不緊也。〔内擂鼓喊介〕〔净〕呀，前路兵風，想是杜安撫來到。分兵一千，迎殺前去。〔虚下〕〔外、衆唱「合前」上〕

〔净衆上打話，單戰介〕〔净叫衆擺長陣攔路介〕〔外叫「衆軍，衝圍殺進城去」介〕〔净〕呀，杜家兵衝入圍城去了，且由他。喫盡糧草，自然投降也。〔合前〕〔下〕

【番卜算】〔老旦、末扮文官上〕鎮日陣雲飄，閃卻烏紗帽。〔净、丑扮武官上〕〔净〕長鎗大劍把河橋，〔丑〕鼓角如龍叫。

〔見介〕請了。【更漏子】〔老旦〕枕淮樓，臨海際，〔末〕殺氣騰天震地。〔丑〕聞炮鼓，使人驚，插天飛不成。〔净〕匣中劍，腰間箭，領取背城一戰。〔合〕愁地道，怕天衝，幾時來杜公。〔老旦〕俺們是淮安府行軍司馬，和這參謀，都是文官。遭此賊兵圍緊，久已迎取安撫杜老大人，還不見到。敢問二位留守將軍：有何計策？〔丑〕依在下所見，降了他罷。〔末〕怎説這話？〔丑〕不降，走爲上計。〔老旦〕走的一丁，走不的十個。〔丑〕這般説，俺小奶奶那一口，放那裏？〔净〕鎖放大櫃子裏。〔丑〕鑰匙呢？〔净〕放俺處。李全不來，替你託妻寄子。〔丑〕李全來呢？〔净〕替你出妻獻子。〔丑〕好朋友，好朋友。〔内擂鼓喊介〕〔生報子上〕報，報，報，正南一枝兵馬，破圍而來。杜老爺到也。〔衆〕快開城迎接去。天地日流血，朝廷誰請纓。〔並下〕

【金錢花】② 〔外引衆上〕連天殺氣蕭條，蕭條。連城圍了週遭，週遭。風喇喇，陣旗飄。叫開城，下弔橋。〔老旦等上〕〔合〕文和武，索迎着。

〔跪迎介〕文武官屬，迎接老大人。〔外〕起來，敵樓相見。〔老旦等應，起，下〕

【前腔】〔外〕胡塵染惹征袍，征袍。血花風腥寶刀，寶刀。〔内擂鼓介〕淮安鼓，揚州箫。擺鸞旗，登麗譙。〔合〕排衙了，列功曹。

〔到介〕〔貼扮辦事官上〕稟老爺，升堂。

【粉蝶兒引】③ 〔外〕萬里寄龍韜，那得戍樓清嘯？

〔貼報門介〕文武官屬進。〔老旦等參見介〕孤城累卵，方當萬死之危；開府弄丸，來赴兩家之難。凡俺官僚，禮當拜謝！〔外〕兵鋒四起，勞苦諸公，皆老夫遲慢之罪。只長揖便了。〔衆應起揖介〕〔外〕看來此賊頗有兵機。放俺入城，其中有計。〔衆〕不過穿地道，起雲梯，下官粗知備禦。〔外〕怕的是鎖城之法耳。〔丑〕敢問何謂鎖城？是裏面鎖？外面鎖？外面鎖，鎖住了溜金王；若裏面鎖，連下官都鎖住了。〔外〕不提起罷了。城中兵幾何？〔净〕一萬三千。〔外〕糧草幾何？〔末〕可支半年。〔外〕文武同心，救援可待。〔内擂鼓喊介〕〔生扮報子上〕報，報，李全兵緊圍了。〔外長嘆介〕這賊好無理也！

【剷鍬兒】④ 兵多食廣禁圍繞，則要你文班武職兩和調。〔衆〕巡城徹昏曉，這軍民苦勞。〔内喊介〕〔泣介〕〔合〕那兵風正號，俺軍聲静悄。〔外拜天〕〔衆扶同拜介〕淚灑孤城，把蒼天暗禱。〔衆〕

【前腔】 危樓百尺堪長嘯，籌邊兩字寄英豪。〔外〕江淮未應小，君侯佩刀。〔合前〕

〔外〕從今日起，文官守城，武官出城，隨機策應。〔丑〕則怕大金家來了。〔外〕金兵呵，

【尾聲】 他看頭勢而來不定交，休先倒折了趙家旗號。便來呵，也少不得死裏求

生那一着敲。

〔净〕日日風吹虜騎塵，陳　標　〔丑〕三千犀甲擁朱輪。陳　陶

〔外〕胸中別有安邊計，曹　唐　〔衆〕莫遣功名屬別人。張　籍

【校】

①「斷重圍」句，按譜疊一句。　②【金錢花】，當作【紅繡鞋】。　③【粉蝶兒引】，「引」字衍。此爲引子，但取首二句，首句應爲四字句。　④【剷鍬兒】，南詞新譜作【划鍬令】，是。

第四十四齣　急難

【菊花新】〔旦上〕曉妝臺圓夢鵲聲高，閒把金釵帶笑敲。博山秋影摇，盼泥金俺明香暗焦。

鬼魂求出世，貧落望登科。夫榮妻貴顯，凝盼事如何？俺杜麗娘，跟隨柳郎科試，偶逢天子招賢，只這些時還遲喜報。正是：長安咫尺如千里，夫壻迢遥第一人。

【出隊子】〔生上〕詞場湊巧①，無奈兵戈起禍苗。盼泥金賺殺玉多嬌，他待地窟裏隨人上九霄。一脈離魂，江雲暮潮。

〔見介〕〔旦〕柳郎，你回來了。望你高車晝錦，爲何徒步而回？〔生〕聽俺道來：

【瓦盆兒】去遲科試、收場鎖院散羣豪，〔旦〕咳，原來去遲了。〔生〕喜逢着舊知交。〔旦〕可曾補上？〔生〕虧他滿船明月又把去珠淘，〔旦喜介〕好了。放榜未？〔生〕恰正在奏龍樓、開鳳榜、蹊蹺。〔旦〕怎生蹊蹺？〔生〕你不知，大金家兵起，殺過淮揚來了。忙喇煞細柳營、權將杏苑抛，剛則遲誤了你夫人花誥。〔旦〕遲也不争幾時。則問你淮揚地方，便是俺爹爹管轄之處了？〔生〕便是。〔旦哭介〕天也，俺的爹娘怎了！〔泣介〕〔生〕直恁的活擦擦，痛生生腸斷了，比如

第四十四齣　急　難

你在泉路裏可心焦？〔旦〕罷了。奴有一言，未忍啓齒。〔生〕但説不妨。〔旦〕柳郎，放榜之期尚遠，欲煩你淮揚打聽爹娘消耗，未審許否？〔生〕謹依尊命，奈放小姐不下。〔旦〕不妨，奴家自會支吾。〔生〕這等就此起程了。

【榴花泣】〔旦〕白雲親舍，俺孤影舊梅梢，道香魂恁寂寥，怎知魂向你柳枝銷？維揚千里，長是一靈飄。回生事少，爹娘呵，聽的俺，活在人間驚一跳。平白地鳳壻過門，好似半青天鵲影成橋。

【前腔】〔生〕俺且行且止，兩處係心苗，要留旅店伴多嬌。〔旦〕有姑姑爲伴。〔生〕陰人難伴你這冷長宵，把心兒不定，還怕你舊魂飄。〔旦〕再不飄了。〔生〕俺文高中高，怕一時榜下歸難到。〔旦泣介〕俺爹娘呵！〔生〕你念雙親捨的離情，俺爲半子怎惜攀高？小姐，卑人拜見岳翁岳母，起頭便問及回生之事了。

【漁家燈】〔旦歎介〕説的來似怪如妖，怕爹爹執古妝喬。〔想介〕有了，將奴春容帶在身傍，但見了一幅春容，少不的問俺兩下根苗。〔生〕問時，怎生打話？〔旦〕則説是天曹，偶然注定的姻緣到，驀踏着墓墳開了。〔生〕説你先到俺書齋纔好。〔旦羞介〕休喬，這話教人笑，略説與梅香賊牢。

【前腔】〔生〕俺滿意兒待駟馬過門，和你離魂女同歸氣高。誰承望探高親去傍干戈？怕寒儒欠整衣毛。（旦）女壻老成些不妨，則途路孤悽，使奴罣念。（生）秋霄，雲橫雁字斜陽道，向秦淮夜泊魂消。（旦）夫，你去時冷落些，回來報中狀元呵。（生）名標，大拜門喧笑，抵多少駙馬還朝。

（净上）雨傘晴兼雨，春容秋復春。包袱雨傘在此。

【尾聲】（拜别介）（旦）秀才郎探的個門楣着，（生）報重生這歡聲不小。（旦）柳郎，那裏平安了便回，休只顧的月明橋上聽吹簫。

（生）不爲經時謁丈人，劉商　（旦）囊無一物獻尊親。杜甫
（生）馬蹄漸入揚州路，章孝標　（旦）兩地各傷無限神。元稹

【校】

①「詞場湊巧」，清暉閣本疊一句。

第四十五齣　寇間

【包子令】〔老旦外扮賊兵巡哨上〕大王原是小嘍囉，嘍囉。娘娘原是小旗婆，旗婆。立下個草朝忒快活，虧心又去搶山河。〔合〕轉巡羅，山前山後一聲鑼。兄弟，大王爺攻打淮城，要個人見杜安撫打話，大路頭影兒没一個，小路頭尋去。〔唱前合下〕〔末雨傘包袱上〕

【駐馬聽】家舍南安，有道爲生新失館。要腰纏十萬，教學千年，方纔滿貫。俺陳最良，爲報杜小姐之事，揚州見杜安撫大人。誰知他淮安被圍，教俺没前没後。大路上不敢行走，抄從小路而去。學先師傳食走胡旋，怯書生避寇遭塗炭。你看樹影凋殘，猿啼虎嘯教人歎。〔老外上〕明知山有虎，故向虎邊行。烏漢那裏去？〔拿介〕〔末〕饒命！大王！〔外〕還有個大王哩。〔末〕天天，怎了？正是：烏鴉喜鵲同行，吉凶全然未保。〔並下〕

【普賢歌】〔浄丑衆上〕莽乾坤生俺賊兒頑，誰道賊人膽裏單？南朝俺不蠻，北朝俺不番。甚天公有處安排俺。

娘娘，俺和你圍了淮安許時，只是不下，要得個人去淮安打話，兼看杜安撫動定如何？則眼下無人可使哩。〔丑〕必得杜老兒親信之人，將計就計，方纔可行。〔外綁末上〕

第四十五齣　寇間

【粉蝶兒】没路走羊腸，天天呵，撞入這屠門怎放？〔見介〕〔外〕稟大王，拿得個南朝漢子在此。〔净〕是個老兒，何方人氏？作何生理？〔末〕聽稟：

【大迓鼓】生員陳最良，南安人氏，訪舊淮揚。〔净〕訪誰？〔末〕便是杜安撫。他後堂曾設扶風帳。〔丑〕你原來他衙中教學，幾個學生？〔末〕則他甄氏夫人，單生下一女。女書生年少亡①。〔丑〕還有何人？〔末〕義女春香，夫人伴房。

〔丑笑背介〕一向不知杜老家中事體，今日得知，吾有計矣。〔回介〕這腐儒，且帶在轅門外去。〔衆應，押末下介〕〔丑〕大王，奴家有了一計。昨日殺了幾個婦人，可於中取出首級二顆，則說杜家老小，回至揚州。被俺手下殺了，獻首在此。故意蘇放那腐儒，傳示杜老，杜老心寒，必無守城之意矣。〔净〕高見！高見！〔净起低聲分付介〕叫中軍。〔生上〕〔净〕俺請那腐儒講話中間，你可將昨日殺的婦人首級二顆來獻，則説是杜安撫夫人甄氏，和他使女春香，牢記着。〔生應下〕〔净〕左右，再拿秀才來見。〔衆押末上介〕〔末〕饒命！大王。〔净〕你是個細作，不可輕饒。〔丑〕勸大王鬆了他，聽他講些兵法到好。〔净〕也罷，依娘娘説，鬆了他。〔衆放末綁介〕〔末叩頭介〕叩謝大王、娘娘不殺之恩。〔净〕起來，講些兵法俺聽。〔末〕衛靈公問陳於孔子，孔子不對，説道吾未見好德如好色者也。〔净〕這是怎麽説？〔末〕則因彼時衛靈公有個夫人南子同座，先師所以怕得講話。〔净〕他夫人是「南子」，俺這娘娘是婦人。〔内擂鼓，生扮報子上〕報，報，報，揚州路上兵馬，殺了杜安撫家小。逕來獻首級討賞。〔净看介〕則怕是假的？〔衆〕千真萬真，夫人甄氏，這使女叫做春香。〔末做看認，驚哭介〕天呵！真個是老夫人和春香也。〔净〕哇！腐儒啼哭什麼?還要打破淮城,殺杜老兒去。〔末〕饒了罷,大王。〔净〕要饒他,除非獻了這座淮安城罷。〔末〕這等,容生員去傳示大王虎威,立取回報。〔丑〕大王恕你一刀,腐儒快走。〔内擂鼓發喊,開門介〕〔末作怕介〕

【尾聲】顯威風記的這溜金王②,〔净丑〕你去説與杜安撫呵,着什麼耀武揚威早納降,俺實實的要展江山非是謊。〔净丑下〕

〔末打躬送介〕〔弔場〕活强盗,活强盗,殺了杜老夫人、春香,不免城中報去。

海神東過惡風迴,李　白　日暮沙場飛作灰。常　建

今日山翁舊賓主,劉禹錫　與人頭上拂塵埃。李山甫

【校】

①「女書生」句,格正云:「第五句脱一字。」　②此句原作净唱,當改。

第四十六齣　折寇

【破陣子】①〔外戎裝佩劍引衆上〕接濟風雲陣勢，侵尋歲月邊陲。〔内擂鼓喊介〕〔外歎介〕你看虎咆般砲石連雷碎，雁翅似刀輪密雪施。李全，李全，你待要霸江山，吾在此。

【集唐】誰能談笑解重圍皇甫冉？萬里胡天鳥不飛高駢。今日海門南畔事高駢，滿頭霜雪爲兵機韋莊。我杜寶，自到淮揚，即遭兵亂。孤城一片，困此重圍。只索調度兵糧，飛揚金鼓。生還無日，死守由天。潛坐敵樓之中，追想靖康而後，中原一望，萬事傷心。

【玉桂枝】問天何意，有三光不辨華夷？把腥羶吹換人間，這望中原做了黄沙片地。〔惱介〕猛冲冠怒起，猛冲冠怒起，是誰弄的，江山如是？〔歎介〕中原已矣！關河困，心事違。也則要保揚州，濟淮水。俺看李全賊數萬之衆，破此何難？進退遲疑，其間有故，俺有一計可救圍，恨無人與遊説。

〔内擂鼓介〕〔净報子上〕羽檄場中無雁到，鬼門關上有人來。好笑，城圍的鐵桶似緊，有秀才來打秋風，則索報去。稟老爺：有個故人相訪。〔外〕敢是奸細？〔净〕説是江右南安府陳秀才。〔外〕這迂儒，怎生飛的進來？快請見〔末上〕

第四十六齣　折寇

【浣溪紗】② 擺旌旗，添景致，又不是鬧元宵鼓炮齊飛。杜老爺在那裏。〔外笑出迎介〕忽聞的千里故人誰？〔歎介〕原來是先生到此，教俺驚垂淚。〔末〕老公相頭通白了。〔合〕白首相看俺與伊，三年一見愁眉。

〔拜介〕【集唐】〔末〕頭白乘驢懸布囊盧綸，〔外〕故人相見憶山陽譚用之。〔末〕橫塘一別千餘里許渾，〔外〕卻認并州作故鄉賈島。〔末〕恭諗公相，又苦傷老夫人回揚州，被賊兵所算了。〔外驚介〕怎知道？〔末〕生員在賊營中，眼同驗過老夫人首級，同春香都殺了。〔外哭介〕天呵，痛殺俺也！

【玉桂枝】 相夫登第，表賢名甄氏吾妻。稱皇宣一品夫人，又待伴俺立雙忠烈女。想賢妻在日，想賢妻在日，淒然垂淚，儼然冠帔。〔外哭倒，衆扶介〕〔末〕我的老夫人，老夫人，怎了！你將官們也大家哭一聲兒麼！〔衆哭介〕老夫人呵。〔外作惱，拭淚介〕呀，好沒來由，夫人是朝廷命婦，罵賊而死，理所當然。我怎爲他亂了方寸，灰了軍心？身爲將，怎顧的私？任悽惶，百無悔。陳先生，溜金王還有講麼？〔末〕不好說得，他還要殺老先生。〔外〕咳，他殺俺甚意兒？俺殺他全爲國。

〔末〕依了生員，兩下裏都不要殺。〔做扯外耳語介〕那溜金王要這座淮安城。〔外〕噤聲！那賊營中，是一個座位？是兩個座位？〔末〕他和妻子連席而坐。〔外笑介〕這等，吾解此圍必矣。先生竟爲何來？〔末〕老先生不問，幾乎忘了。爲小姐墳兒被盜，徑來相報。〔外驚介〕天呵，塚中枯骨，與賊何仇，都則爲那些寶玩害了也。賊是誰？〔末〕老公相去後，石道姑招了個嶺南遊棍柳夢梅爲伴。見物起心，一夜劫墳逃去，尸骨丟在池水中，因此不遠千里而告。〔外歎介〕女墳被發，夫人遭難，正是：未歸三尺土，難保百年身；既歸三尺土，難保百年墳。也索罷了，則可惜先生一片好心。〔末〕生員拜別老公相後，一發貧薄了。〔外歎介〕軍中倉卒，無以爲情。我把一大功勞，先生幹去。〔末〕願效勞。〔外〕我久寫下咫尺之書，要李全解散三軍之衆。餘無可使，煩公一行。左右，取過書儀來，儻說得李全降順，便可歸奏朝廷，自有個出身之處。〔生取書儀上〕儒生三寸舌，將軍一紙書。書儀在此。〔末〕途費謹領。送書一事，其實怕人。〔外〕不妨。

【榴花泣】兵如鐵桶一使在其中，將折簡、去和戎，陳先生，你志誠打的賊兒通。雖然寇盜奸雄，他也相機而動。〔末〕恐遊說非書生之事。〔外〕看他開圍放你而來，其意可知。你這書生、正好做傳書用。〔末〕仗恩臺一字長城，借寒儒八面威風。〔内鼓吹介〕

【尾聲】〔外〕戍樓羌笛話匆匆，事成呵，你歸去朝廷沾寸寵。這紙書，敢則是保障江淮第一封。

〔外〕隔河征戰幾歸人，劉長卿　〔末〕五馬臨流待幕賓。盧　綸

〔外〕勞動先生遠相訪，王　建　〔末〕恩波自會惜枯鱗。劉長卿

【校】

①【破陣子】，實爲【破陣子】犯【齊天樂】。

②【浣溪紗】，格正、葉譜以爲【浣溪紗】犯【東甌令】。

【出隊子】〔貼通事上〕一天之下①，南北分開兩事家。中間放着個蓼兒洼，明助着番家打漢家。通事中間，撥嘴撩牙。

事有足詫，理有必然。自家溜金王麾下一名通事便是。好笑，好笑，俺大王助金圍宋，攻打淮城。誰知北朝，暗地差人去到南朝講話。正是：暫通禽獸語，終是犬羊心。〔下〕〔浄引衆上〕

【雙勸酒】橫江虎牙，插天鷹架。擂鼓揚旗，衝車甲馬。把座錦城墻圍的陣雲花，杜安撫你有翅難加。

自家溜金王，攻打淮城，日久未下。外勢雖然虎踞，中心未免狐疑。一來怕南朝大兵，兼程策應；二來怕北朝見責，委任無功；真個進退兩難。待娘娘到來計議。〔丑上〕驅兵捉將蚩尤女，揑鬼妝神豹子妻。大王，你可聽見，大金家有人南朝打話，回到俺營門之外了。〔浄〕有這事。〔老旦扮番將，帶刀騎馬上〕

北【夜行船】②　大北裏宣差傳站馬，虎頭牌滴溜的分花。〔外扮馬夫趕上介〕滑了，滑了。〔老旦〕那古裏誰家？·跑翻了拽喇。怎生呵，大營盤没個人兒答煞？·〔外大叫介〕溜金爺，

北朝天使到來。〔下〕〔净丑作慌介〕快叫通事請進。〔貼上，接跪介〕溜金王患病了，請那顏進。〔老旦〕可纔可纔，道句兒克卜喇。

都答喇。〔下馬，上坐介〕都兒，都兒。〔净問貼介〕怎麼説？〔貼〕惱了。〔净丑舉手，老旦做惱不回介〕〔指净介〕鐵力温都答喇。〔净問貼介〕怎説？〔貼〕不敢説，要殺了。〔净〕卻怎了？〔老旦做看丑笑介〕忽伶，忽伶。〔丑問貼介〕〔貼〕歎娘娘生得妙。〔老旦〕克老，克老。〔貼〕説走渴了。〔老旦手足做忙介〕兀該打剌。〔貼〕叫馬乳酒。〔老旦〕約兒兀只。〔貼〕要燒羊肉。〔净叫介〕快取羊肉乳酒來。〔外持酒肉上介〕〔老旦灑酒取刀割羊肉吃，笑將羊油手擦胸介〕一六兀剌的。〔貼〕不惱了，説有禮體。〔老旦作醉介〕鎖陀八，鎖陀八。〔貼〕説醉了。〔老旦作看丑介〕倒喇，倒喇。〔丑笑介〕怎説？〔貼〕要娘娘唱個曲兒。〔丑〕使得。

北【清江引】呀，啞觀音，覰着個番答辣，胡蘆提笑哈。兀那是都麻，請將來岸答，撞門兒一句咬兒只不毛古喇。

通事，我斟一杯酒，你送與他。〔貼作送酒介〕阿阿兒該力。〔丑〕通事，説甚麼？〔貼〕小的稟娘娘送酒。〔丑〕着了。〔老旦作醉，看丑介〕孛知，孛知。〔貼〕又央娘娘舞一回。〔丑〕使得，取我梨花槍來。

【前腔】〔持槍舞介〕冷梨花、點點風兒刮，裊得腰身乍。胡旋兒打一車，花門折一花，把一個晙啜老那顏風勢煞。

〔老旦反背拍袖笑倒介〕忽伶，忽伶。〔貼扶起老旦介〕〔老擺手到地介〕阿來不來。〔貼〕這便是唱喏，叫唱一直。〔老笑點頭招丑介〕哈嘣，哈嘣。〔貼〕要問娘娘。〔丑笑介〕問甚麼？〔老扯丑輕説介〕哈嘣兀該毛克喇，毛克喇。〔丑笑問貼介〕怎説？〔貼作摇頭介〕問娘娘討件東西。〔丑笑介〕討甚麽？〔貼〕通事不敢説。〔老笑倒介〕古魯，古魯。〔净背叫貼問介〕他要娘娘什麽東西？古魯古魯不住的。〔貼〕這件東西，是要不得的。便要時，則怕娘娘不捨的；便是娘娘捨的，大王也不捨的；便大王捨的，小的也不捨得。〔净〕甚東西，直恁捨不的？〔貼〕他這話到明，哈嗽兀該毛克喇，要娘娘有毛的所在。〔净作惱介〕氣也！氣也！這臊子好大膽，快取槍來。〔作持花槍趕殺介〕〔貼扶醉老旦走〕〔老提酒壺叫古魯古魯架住槍介〕

北【尾】〔净〕你那醋葫蘆指望把梨花架，臊奴，鐵圍墻敢靠定你大金家。〔搠倒老介〕則踹着你那幾莖兒苫嘴的赤支沙，把那噍腥臊的咦子兒生搭殺。

〔丑扯住净，放老介〕〔老〕曳喇曳喇哈哩。〔指净介〕力婁吉丁母剌失，力婁吉丁母剌失。〔作閃袖走下介〕〔净〕氣殺我也！那曳喇哈的什麽？〔貼〕叫引馬的去。〔净〕怎指着我力婁吉丁母剌失？〔貼〕這要奏過他主兒，叫人來相殺。〔净作惱介〕〔丑〕老大王，你可也當着不着的。〔净〕啐！着了你那毛格喇哩。〔丑〕便許他在那裏，你卻也忒撚酸。〔净不語介〕正是，我一時風火性，大金家得知，這溜金王到有些欠穩。〔丑〕便是，番使南朝而回，未必其中無③話。〔净〕娘娘高見何如？〔丑〕容奴家措思。〔内擂鼓介〕〔帖扮報子上〕報，報，報，前日放去的老秀才，從淮城中單馬飛來，道有緊急，投見大王。〔丑〕恰好，着他進來。

【縷縷金】④〔末上〕無之奈，可如何？書生承將令，强嘍囉。〔内喊〕〔末驚跌介〕一聲金砲響，將人跌蹉。可憐，可憐，密札札干戈其間放着我。

〔貼唱門介〕生員進。〔末見介〕萬死一生，生員陳最良，百拜大王殿下，娘娘殿下。〔净〕杜安撫獻了城池？〔末〕城池不爲希罕，敬來獻一座王位與大王。〔净〕寡人久已爲王了。〔末〕正是官上加官，職上添職。杜安撫有書呈上。〔净看書介〕通家生杜寶頓首李王麾下：〔問末介〕秀才，我與杜安撫有何通家？〔末〕漢朝有個李杜至交，唐朝也有個李杜契友，因此杜安撫斗膽稱個通家。〔净〕這老兒好意思，書有何言？

【一封書】〔讀書介〕聞君事外朝，虎狼心、難定交。肯回心聖朝，保富貴、全忠孝。平梁取采須收好，背暗投明帶早超。憑陸賈，說莊蹻，顒望麾慈即鑒昭。

〔笑介〕這書勸我降宋，其實難從。外密啓一通，奉呈尊閫大人。〔笑介〕杜安撫也畏敬娘娘哩。〔丑〕你念我聽。〔净看書介〕通家生杜寶斂衽楊老娘娘帳前。咳也，杜安撫與娘娘，又通家起來。〔末〕大王通得去，娘娘也通得去。〔净〕也通得去。只漢子不該說斂衽。〔末〕娘娘肯斂衽而朝，安撫敢不斂衽而拜？〔丑〕說的好。細念我聽。〔净念書介〕通家生杜寶斂衽楊老娘娘帳前：遠聞金朝封貴夫爲溜金王，並無封號及於夫人，此何禮也？杜寶久已保奏大宋，勑封夫人爲討金娘娘之職。伏惟妝次，鑒納。不宣。好也，到先替娘娘討了恩典哩。〔丑〕陳秀才，封我討金娘娘，難道要我征討大金家不成？〔末〕受了封誥後，但是娘娘要金子，都來宋朝取用。因此叫做討金娘娘。〔丑〕這等是你宋朝美意。〔末〕不說娘娘，便是衛靈公夫人，也說宋朝之美。〔丑〕依你說，我冠兒上金子，成色要高。我是帶盔兒的娘子，近時人家首飾渾脫，就一個盔兒，要你南朝，照樣打造一付送我。〔末〕都在陳最良身上。〔净〕你只顧討金，討金，把我這溜金王溜在那裏？〔丑〕連你也做了討金王罷。〔净〕謝承了。〔末叩頭介〕

則怕大王娘娘退悔。〔丑〕俺主意定了，便寫下降表，齎發秀才回奏南朝去。

【前腔】〔净〕歸依大宋朝，怕金家成禍苗。〔丑〕秀才，你擔承這遭，要黄金須任討。〔末〕大王，你鄱陽湖磬響收心早；娘娘，你黑海岸回頭星宿高。〔合〕便休兵，隨聽招，免的名標在叛賊條。

〔净〕秀才，公館留飯，星夜草表送行。〔舉手送末拜别介〕

【尾聲】〔净〕咱比李山兒何足道，這楊令婆委實高。〔末〕帶了你這一紙降書，管取那趙官家歡笑倒。〔末下〕

〔净丑弔場〕〔净〕娘娘，則爲失了一邊金，得了兩條王。人要一個王不能勾，俺領下兩個王號，豈不樂哉！〔丑〕不要慌，還有第三個王號。〔净〕什麽王號？〔丑〕叫做齊肩一字王。〔净〕怎麽？〔丑〕殺哩。〔净〕隨順他，又殺什麽？〔丑〕你俺兩人作這大賊，全仗金韃子威勢，如今反了面，南朝拿你何難？〔净作惱介〕哎喲，俺有萬夫不當之勇，何懼南朝！〔丑〕你真是個楚霸王，不到烏江不止。〔净〕胡説！便作俺做楚霸王，要你做虞美人，定不把趙康王占了你去。〔丑〕罷，你也做楚霸王不成，奴家的虞美人也做不成，换了題目做。〔净〕什麽題目？〔丑〕范蠡載西施。〔净〕五湖在那裏？去做海賊便了。〔丑作分付介〕衆三軍，俺已降順了南朝，暫解淮圍，海上伺候去。〔衆應介〕解圍了。〔内鼓介〕船隻齊備了。〔内鼓介〕稟大王起行。〔行介〕

【江頭送别】〔净〕淮揚外，淮揚外，海波摇動。東風勁，東風勁，錦帆吹送。奪取蓬萊爲巢洞，鼇背上立着旗峯。

【前腔】〔丑〕順天道，順天道，放些兒閒空。招安後，招安後，再交兵言重。險做了爲金家傷炎宋，權袖手、做個混海癡龍。

〔衆〕稟大王娘娘，出海了。〔净〕且下了營，天明進發。

〔净〕干戈未定各爲君，許渾　〔丑〕龍鬬雌雄勢已分。常建

〔净〕獨把一麾江海去，杜牧　〔衆〕莫將弓箭射官軍。竇鞏

【校】

① 一天之下，清暉閣本有疊句。　② 北【夜行船】，格正本以爲當作北【夜行船帶過沽美酒】。　③ 無，原作「有」，據朱墨本改。　④【縷縷金】，格正題作【金孩兒】，謂【縷縷金】犯【耍孩兒】。葉譜題作【雙金圓】，謂【縷縷金】犯【小團圓】。末句「其間放着我」，兩本都作疊句。

第四十八齣　遇　母

【十二時】① 〔旦上〕不住的相思鬼，把前身退悔。土臭全消，肉香新長，嫁寒儒客店裏孤棲。〔净上〕又着他攀高謁貴。

【浣溪沙】〔旦〕寂寞秋窗冷篳紋，〔净〕明璫玉枕舊香塵，〔旦〕斷潮歸去夢郎頻。〔净〕桃樹巧逢前度客，〔旦〕翠煙真是再來人，〔合〕月高風定影隨身。〔旦〕姑姑，奴家喜得重生，嫁了柳郎，只道一舉成名，同去拜訪爹娘。誰知朝廷爲着淮南兵亂，開榜稽遲。我爹娘正在圍城之内，只得賣發柳郎，往尋消耗。撇下奴家錢塘客店，你看那江聲月色，悽愴人也！〔净〕小姐，比你黄泉之下，景致争多？〔旦〕這不在話下。

【針綫箱】雖則是荒村店江聲月色，但說着墳窩裏前生今世。則這破門簾亂撒星光内，煞强似洞天黑地。姑姑呵，三不歸父母如何的？七件事兒夫家靠誰？心悠曳，不死不活，睡夢裏爲個人兒。

〔净〕似小姐的罕有。

【前腔】伴着你半間靈位，又守見你一房夫壻。〔旦〕姑姑，那夜搜尋秀才，知我閃在那

第四十八齣　遇　母

裏?〔净〕則道畫幀兒怎放的個人迴避?做的事瞞神謊鬼。昏黑了,你看月兒黑黑的星兒晦,螢火青青似鬼火吹。〔旦〕好上燈了。〔净〕没油。黑坐地,三花兩䫲,留的你照解羅衣。

〔旦〕夜長難睡,還向主家借些油去。〔净〕你院子裏坐坐,咱去借來。合着油瓶蓋,踏碎玉蓮蓬。

〔下〕〔旦玩月嘆介〕〔老旦貼行路上〕

【月兒高】江北生兵亂,江南走多半。不載香車穩,跤的鞋䩺斷。夫主兵權,望天涯生死如何判?前呼後擁、一個春香伴,鳳髻消除、打不上揚州纂。上岸了到臨安,趁黄昏黑影林巒,生忔察的難投館。

〔貼〕且喜到臨安了。〔老〕咳,萬死一逃生,得到臨安府。俺女娘無處投,長路多孤苦。〔貼〕前面像是個半開門兒,驀了進去。〔老進介〕呀,門房空静,内可有人?〔旦〕誰?〔貼〕是個女人聲息,待打叫一聲:開門。

【不是路】②〔旦驚介〕斜倚雕闌,何處嬌音唤啓關。〔老〕行程晚,女娘們借住霎兒間。〔旦〕聽他言,聲音不似男兒漢,待自起開門月下看。〔見介〕〔旦〕是一位女娘,請裏坐。〔老〕相提盼,人間天上行方便。〔旦〕趨迎遲慢,趨迎遲慢。〔打照面介〕〔老作驚介〕

【前腔】破屋頹椽,姐姐呵,你怎獨坐無人燈不燃?〔旦〕這閒庭院,玩清光長送過這月兒圓。〔老背叫貼〕春香，這像誰來？〔貼驚介〕不敢說，好像小姐。〔老〕你快瞧房兒裏面，還有甚人？若没有人，敢是鬼也。〔貼下〕〔旦背〕這位女娘好像我母親，那丫頭好像春香。〔作回問介〕敢問老夫人，何方而來？〔老歎介〕自淮安，我相公是淮揚安撫遭兵難，我避虜逃生到此間。〔旦背介〕是我母親了，我可認他。〔貼慌上，背語老介〕一所空房子，通没個人影兒，是鬼，是鬼。〔老作怕介〕〔旦〕聽他說起，是我的娘也。〔向前哭娘介〕〔老作避介〕敢是我女孩兒，怠慢了你，你活現了。春香，有隨身紙錢，快丟，快丟。〔貼丟紙錢介〕〔旦〕兒不是鬼。〔老〕不是鬼，我叫你三聲，要你應我，一聲高如一聲。〔做三叫三應聲漸低介〕〔老〕是鬼也。〔旦〕娘，你女兒有話講。〔老〕則略靠遠，冷淋侵一陣風兒旋，這般活現。〔旦〕那些活現？

〔扯老〕〔老作怕介〕兒，手恁般冷。〔貼叩頭介〕小姐，休要撚了春香。〔老〕兒，不曾廣超度你，是你父親古執。〔旦哭介〕娘，你這等怕，女孩兒死不放娘去了。

【前腔】〔净持燈上〕門户牢拴，爲甚空堂人語諠？〔照地介〕這青苔院，怎生吹落紙黄錢？〔貼〕夫人，來的不是道姑？〔老〕可是。〔净驚介〕呀，老夫人和春香那裏來？這般大驚小怪。看他打盤旋，那夫人呵，怕漆燈無燄將身遠，小姐，恨不得幽室生輝得近前。〔旦〕姑姑快來，奶奶害怕。〔貼〕這姑姑敢也是個鬼？〔净扯老照旦介〕休疑憚，移燈就月端詳遍，可是當年人面？〔合〕是當年人面。

〔老抱旦泣介〕兒呵，便是鬼，娘也不捨的去了。

【前腔】腸斷三年，怎墜海明珠去復旋？〔旦〕爹娘面，陰司裏憐念把魂還。〔貼〕小姐，你怎生出的墳來？〔旦〕好難言。〔老〕是怎生來？〔旦〕則感的是東嶽大恩眷，托夢一個書生把墓端穿。〔老〕書生何方人氏？〔旦〕是嶺南柳夢梅。〔貼〕怪哉，當真有個柳和梅。〔老〕怎同他來此？〔旦〕他來科選。〔老〕這等是個好秀才，快請相見。〔旦〕我央他看淮揚動靜去把爹娘探，因此上獨眠深院，獨眠深院。

〔老背與貼語介〕有這等事。〔貼〕便是，難道有這樣出跳的鬼。〔老回泣介〕我的兒呵，

【番山虎】則道你烈性上青天，端坐在西方九品蓮，不道三年鬼窟裏重相見。哭的我手麻腸寸斷，心枯淚點穿，夢魂沈亂。我神情倒顛，看時兒立地，叫時娘各天。怕你茶飯無澆奠，牛羊侵墓田。〔合〕今夕何年？今夕何年？咦，還怕這相逢夢邊。

【前腔】〔旦泣介〕你拋兒淺土，骨冷難眠。喫不盡爺娘飯，江南寒食天。可也不想有今日，也道不起從前。似這般糊突謎，甚時明白也天？鬼不要，人不嫌。不是前生斷，今生怎得連。〔合前〕

〔老〕老姑姑，也虧你守着我兒。

【前腔】〔净〕近的話不堪提嚥，早森森地心疎體寒。空和他做七做中元，怎知他

成雙成愛眷。〔低與老介〕我捉鬼拿姦，知他影戲兒做的恁活現。〔合〕這樣奇緣，這樣奇緣，打當了輪迴一遍。

【前腔】〔貼〕論魂離倩女是有，知他三年外靈骸怎全？則恨他同棺槨，少個郎官，誰想他爲院君這宅院？小姐呵，你做的相思鬼穿，你從夫意專。那一日春香不鋪其孝筵，那節兒夫人不哀哉醮薦。早知道你撇離了陰司，跟了人上船。〔合前〕

【尾聲】〔老〕感的化生女顯活在燈前面，則你的親爹，他在賊子窩中没信傳。〔旦〕娘放心，有我那信行的人兒，他穴地通天打聽的遠。

想像精靈欲見難，歐陽詹　碧桃何處便驂鸞？薛　逢

莫道非人身不煖，白居易　菱花初曉鏡光寒。許　逢

【校】

①【十二時】，格正、葉譜俱題作【十二漏聲高】，謂【玉漏遲】犯【十二時】、【高陽臺】。

②【不是路】，參第四十二齣箋文。

第四十九齣　淮泊

【三登樂】（生包袱雨傘上）有路難投，禁得這亂離時候。走孤寒落葉知秋。爲嬌妻，思岳丈，探聽揚州。又誰料他困守淮揚，索奔前答救。

【集唐】那能得計訪情親李白，濁水污泥清路塵韓愈。自恨爲儒逢世難，卻憐無事是家貧韋莊。俺柳夢梅，陽世寒儒，蒙杜小姐陰司熱寵，得爲夫婦，相隨赴科。且喜殿試擸過卷子，又被邊報躭誤榜期。因此小姐呵，聞說他尊翁淮揚兵急，叫俺沿路上體訪安危。親齎一幅春容，敬報再生之喜。雖則如此，客路貧難，諸凡路費之資，盡出壙中之物。其間零碎寶玩，急切典賣不來。有些成器金銀，土氣銷鎔有限。兼且小生看書之眼，並不認得等子星兒。一路上賺騙無多，逐日裏支分有盡。得到揚州地面，恰好岳丈大人移鎮淮城。賊兵阻路，不敢前進。且喜因循解散，不免迤邐數程。

【錦纏道】早則要、醉揚州尋杜牧、夢三生花月樓，怎知他長淮去休？那裏有纏十萬順天風跨鶴閒遊？則索傍漁樵尋食宿敗荷衰柳，添一抹五湖秋，那秋意兒有許多迤逗。咱功名事未酬，冷落我斷腸閨秀。堪回首，算江南江北有十分愁。

一路行來，且喜看見了插天高的淮城，城下一帶清長淮水。那城樓之上，還掛有丈六闊的軍門旗號。大吹大擂，想是日晚掩門了，且尋小店歇宿。〔丑上〕多攙白水江湖酒，少趲黃邊風月錢。秀才投宿麼？〔生進店介〕〔丑〕要果酒？案酒？〔生〕天性不飲。〔丑〕柴米是要的。〔生〕喫倒算。〔丑〕算倒喫。〔生〕花銀五分在此。〔丑〕高銀散碎些，待我稱一稱。〔稱介〕〔作驚叫介〕銀子走了。〔尋介〕〔生〕怎大驚小怪？〔丑〕秀才，銀子地縫裏走了，你看碎珠兒。〔生〕這等，還有幾塊在這裏。〔丑接銀又走，三度介〕呀，原來秀才會使水銀。〔生〕因何是水銀？〔背介〕是了，是小姐殯斂之時，水銀在口，龍含土成珠而上天，鬼含汞成丹而出世，理之然也。此乃見風而化。原初小姐死，水銀也死；如今小姐活，水銀也活了。則可惜這神奇之物，世人不知。〔回介〕也罷了。店主人，你將我花銀都消散去了，如今一蠢也無。這本書是我平日看的，淮酒一壺。〔丑〕書破了。〔生〕貼你一枝筆。〔丑〕筆開花了。〔生〕此中使客往來，你可也聽見讀書破萬卷？〔丑〕不聽見。〔生〕可聽見夢筆吐千花？〔丑〕不聽得。〔生作笑介〕

【皂羅袍】可笑一場閒話，破詩書萬卷，筆蕊千花。是我差了，這原不是換酒的東西。〔丑笑介〕神仙留玉珮，卿相解金貂。〔生〕你說金貂玉珮，那裏來的？有朝貨與帝王家，金貂玉佩書無價。你還不知哩？便是千金小姐，依然嫁他。一朝臣宰，端然拜他。〔丑〕要他則甚？〔生〕讀書人把筆安天下。

不要書，不要筆，這把雨傘可好？〔丑〕天下雨哩。〔生〕明日不走了。〔丑〕餓死在這裏？〔生笑介〕你認的淮揚杜安撫麽？〔丑〕誰不認的！明日喫太平宴哩。〔生〕則我便是他女壻，來探望他。〔丑驚介〕喜是相公説的早，杜老爺多早發下請書了。〔生〕請書在那裏？〔丑〕和相公瞧去。〔請生行介〕待小人背褡袱雨傘。〔行介〕〔生〕請書那裏？〔丑〕兀的不是？〔生〕這是告示居民的。〔丑〕便是，你瞧：

【前腔】禁爲閒遊奸詐，杜老爺是巴上生的，自三巴到此，萬里爲家。不教子姪到官衙，從無女壻親閒雜。這句單指你相公，若有假充行騙，地方稟拿。下面説小的了，扶同歇宿，罪連主家。爲此須至關防者。

右示通知。建炎三十二年五月日示。你看後面安撫司杜大花押，上面蓋着一顆欽差安撫淮揚等處地方提督軍務安撫司使之印，鮮明紫粉。相公，相公，你在此消停，小人告回了。各人自掃門前雪，休管他家屋上霜。〔下〕〔生哭介〕我的妻，你怎知丈夫到此，悽惶無地也。〔作望介〕呀，前面房子門上有大金字，咱投宿去。〔看介〕四個字：漂母之祠。怎生叫做漂母之祠？〔看介〕原來壁上有題：昔賢懷一飯，此事已千秋。是了，乃前朝淮陰侯韓信之恩人也。我想起來，那韓信是個假齊王，尚然有人一飯；俺柳夢梅是個真秀才，要杯冷酒不能勾。像這個漂母，俺拜他一千拜。

【鶯皂袍】①〔拜介〕垂釣楚天涯，瘦王孫、遇漂紗，楚重瞳較比這秋波瞎。太史公表他，淮安府祭他，甫能勾一飯千金價。看古來婦女多有俏②眼兒，文公乞食，僖妻禮他；昭關乞食，相逢浣紗。鳳尖頭叩首三千下。

起更了，廊下一宿，早去伺候開門。没水梳洗。〔看介〕好了，下雨哩。

舊事無人可共論，韓愈　只應漂母識王孫。王遵

轅門拜手儒衣弊，劉長卿　莫使沾濡有淚痕。韋洵美

【校】

①【鶯皂袍】，格正、葉譜俱謂【黃鶯兒】犯【皂羅袍】。

②俏，原誤作「悄」，當改。

第五十齣 鬧宴

【梁州令】〔外引丑衆上〕長淮千騎雁行秋，浪捲雲浮。思鄉淚國倚層樓。〔合〕看機遘，逢奏凱，且遲留。

【昭君怨】萬里封侯歧路，幾兩英雄草屨。秋城鼓角催，老將來。烽火平安昨夜，夢醒家山淚下。兵戈未許歸，意徘徊。我杜寶，身爲安撫，時直兵衝。圍絶救援，貽書解散。李寇既去，金兵不來。中間善後事宜，且自看詳停當。分付中軍，門外伺候。〔衆下〕〔丑把門介〕〔外歎介〕雖有存城之懽，實切亡妻之痛。〔淚介〕我的夫人呵，昨已單本題請他的身後恩典，兼求賜假西歸，未知旨意何如？正是：功名富貴草頭露，骨肉團圓錦上花。〔看文書介〕

【金蕉葉】〔生破衣巾，攜春容上〕窮愁客愁，正搖落雁飛時候。〔整容介〕帽兒光整頓從頭，還則怕未分明的門楣認否？

〔丑喝介〕甚麼人行走！〔生〕是杜老爺女壻拜見。〔丑〕當真？〔生〕秀才無假。〔丑進稟介〕〔外〕關防明白了？〔問丑介〕那人材怎的？〔丑〕也不怎的，袖着一幅畫兒。〔外笑介〕是個畫師，則説老爺軍務不閒便了。〔丑見生介〕老爺軍務不閒，請自在。〔生〕叫我自在，自在不成人了。〔丑〕等你去，成人不自在。〔生〕老爺可拜客去麽？〔丑〕今日文武官僚喫太平宴，牌簿都繳了。〔生〕大哥，怎麽叫做太平宴？〔丑〕這是

第五十齣　鬧宴

各邊方年例，則今年退了賊，筵宴盛些，席上有金花樹，金臺盤，長尺頭，大元寶，無數的。你是老爺女壻，背幾個去。〔生〕原來如此。則怕進見之時，考一首太平宴詩，或是軍中凱歌，或是淮清頌，急切怎好？且在這班房裏等着，打想一篇，正是有備無患。〔丑〕秀才還不走，文武官員來也。〔生下〕

【梁州令】〔末扮文官上〕長淮望斷塞垣秋，喜兵甲潛收，賀昇平、歌頌許吾流。〔净武官上〕兼文武，陪將相，宴公侯。

請了。〔末〕今日我文武官屬太平宴，水陸務須華盛，歌舞都要整齊。〔末净見介〕聖天子萬靈擁輔，老君侯八面威風。寇兵銷咫尺之書，軍禮設太平之宴。謹已完備，伏乞俯容。〔外〕軍功雖卑末難當，年例有諸公怎廢？難言奏凱，聊用舒懷。〔內鼓吹介〕〔丑持酒上〕黃石兵書三寸舌，清河雪酒五加皮。酒到。

【梁州序】①〔外澆酒介〕天開江左，地冲淮右，氣色夜連刁斗。〔末净進酒介〕長城一綫，何來得御君侯！喜平銷戰氣，不動征旗，一紙書回寇。那堪羌笛裏、望神州，這是萬里籌邊第一樓。〔合〕乘塞草，秋風候，太平筵上如淮酒。盡慷慨，爲君壽。

【前腔】〔外〕吾皇福厚，羣才策湊，半壁圍城堅守。〔末净〕分明軍令，杯前借箸題籌。〔外〕我題書與李全夫婦呵，也是燕支卻虜，夜月吹篪，一字連環透。不然無救也，怎生休？不是天心不聚頭。〔合前〕

〔内擂鼓介〕〔老旦扮報子上〕金貂並入三公府，錦帳誰當萬里城？報老爺：奏本已下，奉有聖旨，不准致仕。欽取老爺回朝，同平章軍國大事，老夫人追贈一品貞烈夫人。〔末净〕平章乃宰相之職，君侯出將入相，官屬不勝欣仰。〔末净送酒介〕

【前腔】攬貂蟬歲月淹留，慶龍虎風雲輻輳。君侯此一去呵，看洗兵河漢，接②天高手。偏好桂花時節，天香隨馬，簫鼓鳴清晝。到長安宫闕裏報高秋，可也河上砧聲憶舊遊。〔合前〕

〔外〕諸公皆高才壯歲，自致封侯。如杜竇者，白首還朝，何足道哉！

【前腔】每日價看鏡登樓，淚沾衣渾不如舊。似江山如此，光陰難又。猛把吴鈎看了，闌干拍遍，落日重回首。此去呵，恨南歸草草也寄東流。〔舉手介〕你可也明月同誰嘯庾樓？〔合前〕

〔生上〕腹稿已吟就，名單還未通。〔見丑介〕大哥替我再一稟。〔丑〕老爺正喫太平宴。〔生〕我太平宴詩也想完一首了，太平宴還未完。〔丑〕誰叫你想來？〔生〕大哥，俺是嫡親女壻，没奈何稟一稟。〔丑進稟介〕稟老爺，那個嫡親女壻没奈何稟見。〔外〕好打！〔丑出作惱，推生出介〕〔生〕老丈人高宴未終，咱半子禮當恭候。〔下〕〔旦、貼扮女樂上〕壯士軍前半死生，美人帳下能歌舞。營妓們叩頭。

【節節高】〔外〕轅門簫鼓啾，陣雲收，君恩可借淮揚寇？貂插首，玉垂腰，金佩肘。馬敲金鐙也秋風驟，展沙堤笑拂朝天袖。〔合〕但捲取江山獻君王，看玉京迎駕把笙歌奏。

〔生上〕欲窮千里目，更上一層樓。想歌闌宴罷，小生饑困了，不免衝席而進。〔丑攔介〕餓鬼不羞！〔生惱介〕你是老爺跟馬賤人，敢辱我乘龍貴壻，打不的你？〔打丑介〕〔外問介〕軍門外誰敢喧嚷？〔丑〕是早上嫡親女壻，叫做没奈何的，破衣、破帽、破褡袱、破雨傘，手裏拿一幅破畫兒，説他餓的荒了，要來衝席。但勸的都打，連打了九個半，則剩下小的這半個臉兒。〔外惱介〕可惡！本院自有禁約，何處寒酸，敢來胡賴？〔末浄〕此生委係乘龍，屬官禮當攀鳳。〔外〕一發中他計了。叫中軍官暫時拿下那光棍，逢州换驛，遞解到臨安監候者。〔老旦中軍官應介〕〔出縛生介〕〔生〕冤哉！我的妻呵，因貪弄玉爲秦贅，且戴儒冠學楚囚。〔下〕〔外〕諸公不知，老夫因國難分張，心痛如割。又放着這等一個無名子來聒噪人，愈生傷感。〔末浄〕老夫人受有國恩，名標烈史。蘭玉自有，不必慮懷。叫樂人進酒。

【前腔】〔末浄〕江南好宦遊，急難休，樽前且進平安酒。看福壽有，子女悠，夫人又。〔外〕徑醉矣。〔旦貼作扶介〕〔外淚介〕閃英雄淚漬盈盈袖，傷心不爲悲秋瘦。〔合前〕

〔外〕諸公請了，老夫歸朝念切，即便起程。〔内鼓樂介〕

【尾聲】明日離亭一杯酒，〔末浄〕則無奈丹青聖主求。〔外笑介〕怕畫的上麒麟人白首。

〔外〕萬里沙西寇已平，張　喬　〔末〕東歸銜命見雙旌。韓　翃

〔净〕塞鴻過盡殘陽裏，耿湋　〔衆〕淮水長憐似鏡清。李紳

【校】

①【梁州序】，格正、葉譜作【梁州新郎】，格正並云：「第六句脱一字。」葉譜作「幸喜平銷戰氣」。　②接，原作「掞」。當改。

第五十一齣　榜　下

〔老旦丑扮將軍持瓜鎚上〕鳳舞龍飛作帝京，巍峨宮殿羽林兵。天門欲放傳臚喜，江路新傳奏凱聲。請了。聖駕升殿，在此祗候。

北【點絳唇】〔外扮老樞密上〕整點朝綱，運籌邊餉，山河壯。〔净扮苗舜賓上〕翰苑文章，顯豁的昇平象。

請了。恭喜李全納款，皆老樞密調度之功也。〔外〕正此引奏。前日先生看定狀元試卷，蒙聖旨武偃文修，今其時矣。〔净〕正此題請。呀，一個老秀才走將來，好怪！好怪！〔末破衣巾捧表上〕先師孔夫子，未得見周王。本朝聖天子，得覩我陳最良，非小可也。〔見外净介〕生員陳最良告揖。〔净驚介〕又是遺才告考麽？〔末〕不敢，生員是這樞密老大人門下引奏的。〔外〕則這生員，是杜安撫叫他招安了李全，便中帶有降表，故此引見。〔内響鼓介〕〔唱介〕奏事官上御道。〔外前跪，引末後跪，叩頭介〕〔外〕掌管天下兵馬知樞密院事臣謹奏：恭賀吾主，聖德天威。淮寇來降，金兵不動。有淮揚安撫臣杜寶，敬遣南安府學生員臣陳最良奏事，帶有李全降表進呈，微臣不勝歡忭。〔内〕杜寶招安李全一事，就着生員陳最良詳奏。〔外〕萬歲。〔起介〕〔末〕帶表生員臣陳最良謹奏：

【駐雲飛】淮海維揚，萬里江山氣脈長。那安撫機謀壯，矯詔從寬蕩。嗏，李賊快迎

降，他表文封上。金主聞知，不敢兵南向。他則好看花到洛陽，咱取次擒胡過汴梁。〔內介〕奏事的午門外候旨。〔末〕萬歲。〔起介〕〔净跪介〕前廷試着看詳文字官臣苗舜賓謹奏：文字已看詳，臚傳須唱。

【前腔】殿策賢良，榜下諸生候久長。亂定人懽暢，文運天開放。嗏，莫遺夔龍，久滯風雲望。早是蟾宫桂有香，御酒封題菊半黄。

〔內介〕午門外候旨。〔净〕萬歲。〔起行介〕今當榜期，這些寒儒，卻也候久。〔外笑介〕則這陳秀才，夾帶一篇海賊文字，到中的快。〔內介〕聖旨已到，跪聽宣讀：朕聞李全賊平，金兵迴避，甚喜！甚喜！此乃杜寶大功也。杜寶已前有旨，欽取回京。陳最良有奔走口舌之才，可充黄門奏事官，賜其冠帶。其殿試進士，於中柳夢梅可以狀元，金瓜儀從，杏苑赴宴。謝恩！〔衆呼萬歲起介〕〔衆扮雜取冠帶上〕黄門舊是黌門客，藍袍新作紫袍仙。〔末作換冠服介〕二位老先生告揖。〔外净賀介〕恭喜！恭喜！明日便借重新黄門唱榜了。〔末〕適間宣旨，狀元柳夢梅何處人？〔净〕嶺南人。此生遭際的奇異。〔外〕有甚奇異？〔净〕其日試卷，看詳已定，將次進呈，恰好此生午門外放聲大哭，告收遺才，原來爲搬家小，到京遲誤。學生權收他在附卷進呈，不想點中狀元。〔外〕原來有此。〔末背想介〕聽來，敢便是那個、那個柳夢梅。他那有家小？是了，和老道姑做一家兒。〔回介〕不瞞老先生，這柳夢梅也和晚生有舊。〔外净〕一發可喜可賀了。

〔净〕榜題金字射朝暉，鄭　畋
〔外〕獨奏邊機出殿遲。王　建
〔末〕莫道官忙身老大，韓　愈
〔合〕曾經卓立在丹墀。元　稹

【吴小四】〔净扮郭駝傘包上〕天九萬，路三千，月餘程、抵半年。破虱裝衣擔壓肩，壓的頭臍匾又圓，扢喇察龜兒爬上天。

謝天，老駝到了臨安。京城地面，好不繁華。則不知柳秀才去向，俺且往天街上瞧去。呀，一夥臭軍踢秃秃走來，且自迴避。正是：不因漁父引，怎得見波濤？〔下〕〔老旦丑扮軍校旗鑼上〕

【六幺令】朝門榜遍，怎生狀元、柳夢梅不見？又不是黃巢下第題詩赳。排門的問，刻期宣，再因循敢淹答了杏園公宴。

〔老笑介〕好笑，好笑，大宋國一場怪事。你道差不差？中了狀元干鰵煞。你道奇不奇？中了狀元囉唣唏。你道興不興？中了狀元胡廝踁。你道山不山？中了狀元一道煙。天下人古怪，不像嶺南人。你瞧這駕牌上：欽點狀元嶺南柳夢梅，年二十七歲；身中材，面白色。這等明明道着，卻普天下找不出這人。敢家去哩？亡化哩？睡覺哩？則淹了瓊林宴席面兒。〔丑〕哥，人山人海，那裏淘氣去？俺們把一位帶了儒巾喫宴去，正身出來，算還他席面錢。〔老〕使不得，羽林衛宴老軍替得，瓊林宴進士替不得，他要杏苑題詩。〔丑〕哥，看見幾個狀元題詩哩。依你說，叫去。〔行叫介〕狀元柳夢梅那裏？〔叫三次介〕〔老旦〕長安東西十二門，大街都無人應，小衚衕叫去。〔丑〕這蘇木衚衕有個海南會館，叫地方問去。〔叫介〕〔内應介〕老長官貴幹？〔老丑〕天大事，你在睡夢哩！聽分付：
【香柳娘】問新科狀元，問新科狀元。〔内〕何處人？〔衆〕廣南鄉貫。〔内〕是何名姓？
〔衆〕柳夢梅面白無巴繾。〔内〕誰尋他來？〔衆〕是當今駕傳，是當今駕傳。要得柳如煙，
裁開杏花宴。〔内〕俺這一帶鋪子都没有，則瓦市王大姐家，歇着個番鬼。〔衆〕這等，去，去，去。〔合〕
柳夢梅也天，柳夢梅也天，好幾個盤旋，影兒不見。〔下〕
〔貼妓上〕【集唐】殘鶯何事不知秋李後主，日日悲看水獨流王昌齡。便從巴峽穿巫峽杜甫，錯把杭
州作汴州林升。奴家王大姐是也，開個門户在此。天，一個孤老不見，幾個長官撞的來。〔老旦丑上〕王
大姐喜哩，柳狀元在你家。〔貼〕什麼柳狀元？〔衆〕番鬼哩。〔貼〕不知道。〔衆〕地方報哩。
【前腔】笑花牽柳眠，笑花牽柳眠。〔貼〕昨日有個鷄，不着褲去了。〔衆〕原來十分形
現，敢柳遮花映做葫蘆纏。有狀元麽？〔貼〕則有個狀匾。〔丑〕房兒裏狀匾去。〔進房搜介〕〔衆諢，
貼走下介〕〔衆〕找煙花狀元，找煙花狀元。熱趕在誰邊？毛臊打教遍。去罷。〔合前〕〔下〕
【前腔】〔净拐杖上〕到長安日邊，到長安日邊，果然風憲，九街三市排場遍。柳相
公呵，他形蹤杳然，他形蹤杳然。有了俏家緣，風聲兒落誰店？少不的大道上行走，那
柳夢梅也天。〔老旦丑上〕柳夢梅也天，好幾個盤旋，影兒不見。
〔丑作撞跌净〕〔净叫介〕跌死人！跌死人！〔丑作拿净介〕俺們叫柳夢梅，你也叫柳夢梅，則拿你官裏

去。〔净叩頭介〕是了，梅花觀的事發了，小的不知情。〔衆笑介〕定説你知情，是他什麽人？〔净〕聽稟：老兒呵，

【前腔】替他家種園，替他家種園，遠來探看。〔衆作忙〕可尋着他哩？〔净〕猛紅塵透不出東君面。〔衆〕你定然知他去向。〔净〕長官可憐，則聽見他到南安，其餘不知。〔衆〕好笑，好笑，他到這臨安應試，中了狀元了。〔净驚喜介〕他中了狀元，他中了狀元。踏的菜園穿，攀花上林苑。長官，他中了狀元，怕没處尋他？〔衆〕便是哩。〔合前〕

〔衆〕也罷，饒你這老兒，協同尋他去。

〔老〕一第由來是出身，鄭谷　〔丑〕五更風水失龍鱗。張曙

〔净〕紅塵望斷長安陌，韋莊　〔合〕只在他鄉何處人？杜甫

第五十三齣　硬　拷

【風入松慢】〔生上〕無端雀角土牢中，是什麽孔雀屏風？一杯水飯東牀用，草牀頭繡褥芙蓉。天呵，繫頸的是定昏店、赤繩羈鳳，領解的是藍橋驛、配遞乘龍。

【集唐】夢到江南身旅羈方干，包羞忍恥是男兒杜牧。自家妻父猶如此孫元晏，若問傍人那得知崔顥？俺柳夢梅，因領杜小姐言命，去淮揚謁見杜安撫。他在衆官面前，怕俺寒儒薄相，故意不行識認，遞解臨安。想他將次下馬，提審之時，見了春容，不容不認。只是眼下悽惶也。〔净扮獄官，丑扮獄卒持棍上〕試唤皋陶鬼，方知獄吏尊。咄！淮安府解到囚徒那裏？〔生見舉手介〕〔净〕見面錢。〔生〕少有。〔丑〕入監油。〔生〕也無。〔净作惱介〕哎呀，一件也没有，大膽來舉手。〔打介〕〔生〕不要打，儘行裝檢去罷了。〔丑檢介〕這個酸鬼，一條破被單，裹一軸小畫兒。〔看畫介〕是軸觀音，送奶奶供養去。〔生〕都與你去，則留下畫軸兒。〔丑作搶畫〕〔生扯介〕〔末公差上〕儷煞乘龍壻，冤遭下馬威。獄官那裏？〔丑揖介〕原來平章府祗候哥。〔末票示介〕平章府提取遞解犯人一名，及隨身行李赴審。〔丑〕人犯在此，行李一些也無。〔生〕都是這獄官搬去了。〔末〕搬了幾件，拿狗官平章府去。〔净丑慌叩頭介〕則這畫軸、被單兒。〔末〕這狗官，還了秀才，快起解去。〔净丑應介〕〔押生行介〕老相公，你便行動些兒。略知孔子三分禮。不犯蕭何六尺條。〔下〕

第五十三齣　硬拷

【唐多令】〔外引衆上〕玉帶蟒袍紅，新參近九重。耿秋光長劍倚崆峒，歸到把平章印總。渾不是，黑頭公。

【集唐】秋來力盡破重圍羅鄴，入掌銀臺護紫薇李白。回頭卻歎浮生事李中，長向東風有是非羅隱。自家杜平章，因淮揚平寇，叨蒙聖恩，超遷相位。前日有個棍徒，假充門壻，已着遞解臨安府監候，今日不免取來細審一番。〔净丑押生上〕〔雜門官唱門介〕臨安府解犯人進。〔見介〕〔生〕岳丈大人拜揖。〔外坐笑介〕〔生〕人將禮樂爲先。〔衆呼喝介〕〔生長歎介〕

【新水令】則這怯書生劍氣吐長虹，原來丞相府十分尊重。聲息兒忒洶湧，咱禮數缺通融。曲曲躬躬，他那裏半擡身全不動。

〔外〕寒酸，你是那色人數？犯了法，在相府階前不跪。〔生〕生員嶺南柳夢梅，乃老大人女壻。〔外〕呀，我女已亡故三年，不說到納采下茶，便是指腹裁襟，一些沒有。何曾得有個女壻來？可笑，可恨。祇候們與我拿下。〔生〕誰敢拿！

【步步嬌】〔外〕我有女無郎，早把他青年送，剗口兒輕調閧。便做是我遠房門壻呵，你嶺南、吾蜀中，牛馬風遥，甚處裏絲蘿共？敢一棍兒走秋風？指說關親，騙的軍民動。

〔生〕你這樣女壻，眠書雪案，立榜雲霄，自家行止用不盡，定要秋風老大人？〔外〕還强嘴。搜他裹袱裹，定有假雕書印，並贓拿賊。〔丑開袱介〕破布單一條，畫觀音一幅。〔外看畫驚介〕呀，見贓了。這

第五十三齣　硬拷

是我女孩兒春容，你可到南安，認的石道姑麼？〔生〕認的。〔外〕認的個陳教授麼？〔生〕認的。〔外〕天眼恢恢，原來劫墳賊便是你。左右，采下打。〔生〕誰敢打！〔外〕這賊快招來。〔生〕誰是賊？老大人拿賊見贓，不曾捉奸見牀來。

【折桂令】你道證明師一軸春容，〔外〕春容分明是殉葬的。〔生〕可知道是蒼苔石縫，迸坼了雲蹤？〔外〕快招來。〔生〕我一謎的承供，供的是開棺見喜，攩煞逢凶。〔外〕壙中還有玉魚金椀。〔生〕有金椀呵兩口兒同匙受用，玉魚呵和我九泉下比目和同。〔外〕還有哩。〔生〕玉碾的玲瓏，金鎖的玎瑽。〔外〕都是那道姑。〔生〕則那石姑姑他識趣拿奸縱，卻不似你杜爺爺逞拿賊威風。

〔外〕呀，他明明招了。叫令史取過一張堅厚官綿紙，寫下親供，犯人一名柳夢梅，開棺劫財者斬。寫完，發與那死囚，於斬字下押個花字，會成一宗文卷，放在那裏。〔貼扮吏取供紙上〕稟爺：定個斬字。〔外寫介〕〔貼叫生押花字，生不伏介〕〔外〕你看這喫敲才，

【江兒水】眼腦兒天生賊，心機使的凶。還不畫紙。〔生〕誰慣來！〔外〕你紙筆硯墨則好招詳用。〔生〕生員又不犯奸盜。〔外〕你奸盜詐僞機謀中。〔生〕因令愛之故。〔外〕你精奇古怪虛頭弄。〔生〕令愛現在。〔外〕現在麽？把他玉骨拋殘心痛。〔生〕拋在那裏？〔外〕後苑池中，月冷斷魂波動。

〔生〕誰見來？〔外〕陳教授來報知。〔生〕生員爲小姐費心，除了天知地知，陳最良那得知！

【雁兒落】① 我爲他禮春容叫的凶，我爲他展幽期躭怕恐。我爲他點神香開墓封，我爲他唾靈丹活心孔。我爲他偎熨的體酥融，我爲他洗發的神清瑩。我爲他度情腸款款通，我爲他啓玉肱輕輕送。我爲他軟温香把陽氣攻，我爲他搶性命把陰程迸。神通，醫的他女孩兒能活動。通也麽通，到如今風月兩無功。

〔外〕這賊都説的是甚麽話，着鬼了。左右，取桃條打他，長流水噴他。〔丑取桃條上〕要的門無鬼，先教園有桃。桃條在此。〔外〕高弔起打。〔衆弔起生，作打介〕〔生叫痛，轉動〕〔衆諢打鬼介〕〔噴水介〕〔净郭駝拐杖同老旦貼扮軍校持金瓜上〕天上人間忙不忙，開科失卻狀元郎。一向找尋柳夢梅，今日再尋不見，打老駝。〔净〕難道要老駝賠？買酒你喫，叫去罷。〔叫介〕狀元柳夢梅那裏？〔外聽介〕〔衆叫下〕〔外問丑〕〔丑〕不見了新科狀元，聖旨着沿街尋叫。〔生〕大哥，開榜哩，狀元誰？〔外惱介〕這賊閒管，掌嘴，掌嘴。〔丑掌生嘴介〕〔生叫冤屈介〕〔老旦貼净依前上〕但聞丞相府，不見狀元郎。咦，平章府打諠鬧哩。〔聽介〕〔净〕裏面聲息，像有俺家相公哩。〔衆進介〕〔净向前哭介〕弔起的是我家相公也？〔生〕列位救我。〔净〕誰打相公來？〔生〕是這平章。〔净將拐杖打外介〕拚老命打這平章。〔外惱介〕誰敢無禮！〔老貼〕駕上的，來尋狀元柳夢梅。〔生〕大哥，柳夢梅便是小生。〔净向前解生〕〔外扯净跌介〕〔生〕你是老駝，因何至此？〔净〕俺一逕來尋相公，喜的中了狀元。〔生〕真個的，快向錢塘門外報與杜小姐知道。〔老旦貼〕找着了狀元，俺們也報知黄門官奏去。未去朝天子，先來激相公。〔下〕〔外〕一路的光棍去了，正好拷問這廝。左右，再與俺弔將起。〔生〕待俺分訴些，難道狀元是假得的？〔外〕凡爲狀元者，有登科録爲證，你有何據？則是弔了打便了。〔生叫苦介〕〔净苗舜賓引老旦貼扮堂候官捧冠袍帶上〕踏破草鞋無覓處，得來全不費工夫。老公相住手，有登科録在此。

【僥僥犯】② 則他是御筆親標第一紅，柳夢梅爲梁棟。〔外〕敢不是他？〔净〕是晚生本房取中的。〔生〕是苗老師哩，救門生一救。〔净笑介〕你高弔起文章鉅公，打桃枝受用。告過老公相，軍校快請狀元下弔。〔貼放〕〔生叫痛煞介〕〔净〕可憐，可憐，是斯文倒喫盡斯文痛，無情棒打多情種。〔生〕他是我丈人。〔净〕原來是倚太山壓卵欺鸞鳳。

〔老旦〕狀元懸梁刺股。〔净〕罷了，一領宫袍遮蓋去。〔外〕什麽宫袍？扯了他！

【收江南】〔外扯住冠服介〕〔生〕呀，你敢抗皇宣駡勑封，早裂綻我御袍紅。似人家女壻呵拜門也似乘龍，偏我帽光光走空，你桃夭夭煞風。〔老替生冠服插花介〕〔生〕老平章，好看我插宫花帽壓君恩重。

〔外〕柳夢梅怕不是他？果是他，便是童生應試，也要候案。怎生殿試了，不候榜開，來淮揚胡撞？〔生〕老平章是不知，爲因李全兵亂，放榜稽遲，令愛聞的老平章有兵寇之事，着我一來上門，二來報他再生之喜，三來扶助你爲官。好意成惡意，今日可是你女壻了？〔外〕誰認你女壻來！

【園林好】〔净衆〕嗔怪你會平章的老相公，不刮目破窰中吕蒙，忒做作、前輩們性重。〔笑介〕敢折倒你丈人峯③。

〔外〕悔不將劫墳賊監候奏請爲是。

【沽美酒】④ 〔生笑介〕你這孔夫子把公冶長陷縲絏中，我柳盜跖打地洞向鴛鴦塚。有日呵，把燮理陰陽問相公，要無語對春風。則待列笙歌畫堂中，搶絲鞭御街攔縱。把窮柳毅賠笑在龍宮，你老夫差失敬了韓重。我呵人雄氣雄，老平章深躬淺躬，請狀元升東轉東。呀，那時節纔提破了牡丹亭杜鵑殘夢。

老平章請了，你女壻赴宴去也。

北【尾】你險把司天臺失陷了文星空，把一個有對付的玉潔冰清烈火烘。咱想有今日呵，越顯的俺玩花柳的女郎能，則要你那打桃條的相公懂。〔下〕

〔外弔場〕異哉，異哉！還是賊？還是鬼？堂候官，去請那新黄門陳老爹，到來商議。〔丑〕知道了。謁者有如鬼，狀元還似人。〔下〕〔末扮陳黄門上〕官運精神老不眠，早朝三下聽鳴鞭。多沾聖主隨朝米，不受村童學俸錢。自家陳最良，因奏捷，聖恩可憐，欽授黄門。此皆杜老相公擡舉之恩，敬此趣謝！〔丑上見介〕正來相請，少待通報。〔進報〕〔見介〕〔外笑介〕可喜，可喜，昔爲陳白屋，今作老黄門。〔末〕新恩無報效，舊恨有還魂。適聞老先生三喜臨門：一喜官居宰輔；二喜小姐活在人間；三喜女壻中了狀元。〔外〕陳先生，教的好女學生，成精作怪哩。〔末〕老相公，胡盧提認了罷。〔外〕先生差矣，此乃妖孽之事，爲大臣的，必須奏聞滅除爲是。〔末〕果有此意，容晚生登時奏上取旨何如？〔外〕正合吾意。

〔外〕夜讀滄洲怪亦聽⑤，陸龜蒙　〔末〕可關妖氣暗文星。司空圖

〔外〕誰人斷得人間事，白居易　神鏡高懸照百靈。殷文圭

【校】

①【雁兒落】，朱墨本、格正、葉譜作【雁兒落帶得勝令】。②【僥僥犯】，格正、葉譜俱題作【綵衣舞】。③按譜，此是叠句。④當作【沽美酒帶太平令】。⑤「夜讀滄洲」句，原作「衣渡滄洲」，義不可通。據陸龜蒙原詩改（見全唐詩卷二三和襲美爲新羅弘惠上人撰靈鷲山周禪師碑送歸詩。）

第五十四齣　聞　喜

【繞池遊】〔貼上〕露寒清怯，金井吹梧葉，轉不斷轆轤情劫。

咳，俺小姐爲夢見書生，感病而亡，已經三年。老爺與老夫人，時時痛他孤魂無靠。誰知小姐到活活的跟着個窮秀才，寄居錢塘江上？母子重逢。真乃天上人間，怪怪奇奇，何事不有？今日小姐分付安排繡牀，温習針指。小姐早到也。

【繞紅樓】〔旦上〕秋過了平分日易斜，恨辭梁燕語周遮。人去空江，身依客舍，無計七香車。

秋風吹冷破窗紗，夫壻揚州不到家。玉指淚彈江北草，金鍼閒刺嶺南花。春香，我同柳郎至此，即赴試闈。虎榜未開，揚州兵亂。我星夜齎發柳郎，打聽爹娘消息。且喜老萱堂不意而逢，則老相公未知下落。想柳郎刻下可到，料今番榜上高題，須先翦下羅衣，襯其光彩。〔貼〕繡牀停當，請自尊裁。〔旦裁衣介〕裁下了，便待縫將起來。〔縫介〕〔貼〕小姐，俺淡口兒閒嗑，你和柳郎夢裏陰司裏，兩下光景何如？

【羅江怨】〔旦〕春園夢一些，到陰司裏有轉折。夢中逗的影兒別，陰司較追的情

兒切。〔貼〕還魂時像怎的？〔旦〕似夢重醒，猛迴頭放教跌。〔貼〕陰司可也有好耍子處？〔旦〕一般兒輪回路駕香車，愛河邊題紅葉，便則到鬼門關逐夜的望秋月。

【前腔】〔貼〕你風姿恁惹邪，情腸害劣。小姐，你香魂逗出了夢兒蝶，把親娘腸斷了影中蛇。不道燕家荒斜，再立起鴛鴦舍？則問你會書齋燈怎遮？送情杯酒怎賒？取喜時也要那破頭梢一泡血？

〔旦〕蠢丫頭，幽歡之時，彼此如夢，問他則甚？呀，奶奶來的恁忙也。〔老旦慌上〕

【玩仙燈】人語鬧吱嗻，聽風聲似是女孩兒關節。

兒，聽見外厢諠嚷，新科狀元是嶺南柳夢梅。〔旦〕有這等事！〔净忙走上〕

【前腔】旗影兒走龍蛇，甚宣差教來近者？

〔見介〕奶奶，小姐，駕上人來，俺看門去也。〔下〕〔外丑扮軍校持黄旗上〕

【入賺】深巷門斜，抓不出狀元門第也。這是了。〔敲門介〕〔老旦〕聲息兒恁怔忡，把門兒偷瞥。〔啓門〕〔校衝開介〕〔老旦〕那衙門來的？〔校〕星飛不迭，你看這旗，看這旗影兒頭勢別，是黄門官把聖旨教傳洩。〔老旦叫介〕兒，原來是傳聖旨的。〔旦上〕斗膽相詢，金榜何時揭？可有柳夢梅名字高頭列？〔校〕他中了狀元。〔旦〕真個中了狀元？〔校〕則他中狀元，急節裏遭磨滅。〔旦驚介〕是怎生？〔校〕往淮揚獨犯了杜參爺，扭回京把他做劫墳塋的賊決。〔老旦〕我兒，謝天謝地，老爺平安回京了。他那知世間有此重生之事？〔旦〕這卻怎了？〔校〕正高弔起猛桃條細抽掣，被官裏人搶去遊街歇。〔旦〕恰好哩。〔校〕平章他勢大，動本了，説劫墳之賊，不可以作狀元。〔旦〕狀元可也辯一本兒。〔校〕狀元也有本。那平章奏他，惡茶白賴把陰人竊；那狀元呵，他説頭帶魁罡不受邪；便是萬歲爺聽了成癡呆。〔旦〕後來？〔校〕僥倖，有個陳黄門，是平章爺的故人，奏准要平章、狀元和小姐三人，駕前勘對，方取聖裁。〔老旦〕呀，陳黄門是誰？〔校〕是陳最良，他説南安教授曾官舍，因此杜平章擡舉他掌朝班通御謁。〔老旦〕一發詫異哩。〔校〕便是他着俺們來宣旨：分付你家一更梳洗，二鼓喫飯，三鼓穿衣，四鼓走動，到的五更三點徹，響玎璫翠佩，那是朝時節。〔旦〕獨自個怕人。〔校〕怕則麽，平章宰相你親爺，狀元妻妾。俺去了。〔旦〕再説些去。〔校〕明朝金闕，討你幅撞門紅去了也。〔下〕〔旦〕娘，爹爹高陞，柳郎高中，小旗兒報捷，又是平安帖。把神天叩謝，神天叩謝。〔拜介〕

【滴溜子】當日的，當日的，梅根柳葉。無明路，無明路，曾把遊魂再疊。果應夢，花園後摺。甫能勾迸到頭，搶了捷。鬼趣裏因緣，人間判貼。

【前腔】〔老旦〕雖則是，雖則是，希奇事業。可甚的，可甚的，驚勞駕帖？他道你，是花妖害怯。看承的柳抱懷，做花下劫。你那爹爹呵，没得個符兒，再把花神召攝。

【尾聲】女兒，緊簪束揚塵舞蹈搖花頰，〔旦〕叫俺奏個甚麽來？〔老旦〕有了，你活人硬證無虛脅。〔旦〕少不的萬歲君王聽臣妾。

〔净扮郭駝上〕要問鼋鼍窟，還過烏鵲橋。兩日再尋個錢塘門不着，正好撞着老軍，説知夫人下處，抖擻了進去。〔見介〕〔老旦〕你是誰？〔净〕狀元家裏的老駝，特來恭喜。〔旦〕辛苦！你可見狀元麽？〔净〕俺往平章府，搶下了狀元。要夫人去見朝也。

〔净〕分明爲報精靈輩，僧貫休〔老旦〕往事閒徵夢欲分，韓溉

〔旦〕今晨忽見下天門。張籍〔旦〕淡掃蛾眉朝至尊。張祜

第五十五齣　圓　駕

〔净、丑扮將軍持金瓜上〕日月光天德，山河壯帝居。萬歲爺升朝，在此直殿。〔末上〕

北【點絳脣】　寶殿雲開，御爐煙靄，乾坤泰。〔回身拜介〕日影金階，早唱道黄門拜。

【集唐】　鸞鳳旌旗拂曉陳韋元旦，傳聞闕下降絲綸劉長卿。興王會净妖氛氣杜甫，不問蒼生問鬼神李商隱。自家大宋朝新除授一個老黄門陳最良是也。下官原是南安府飽學秀才，因柳夢梅發了杜平章小姐之墓，徑往揚州報知。平章念舊，着俺説平李寇，告捷效勞，蒙聖恩欽賜黄門奏事之職。不想平章回朝，恰遇柳生投見，當時拿下，遞解臨安府監候。卻説柳生先曾攛過卷子，中了狀元。找尋之間，恰好狀元弔在杜府拷問，當被駕前官校人等，衝破府門，搶了狀元，上馬而去，到也罷了。又聽的説，俺那女學生杜小姐也還魂在京。平章聽説女兒成了個色精，一發惱激，央俺題奏一本，爲誅除妖賊事，中間劾奏柳夢梅係劫墳之賊，其妖魂托名亡女，不可不誅。杜老先此奏，卻是名正言順。隨後柳生也奏一本，爲辨明心跡事。都奉有聖旨：朕覽所奏，幽隱奇特，必須返魂之女，面駕敷陳，取旨定奪。老夫又恐怕真是杜小姐返魂，私着官校傳旨與他，五更朝見。正是：三生石上看來去，萬歲臺前辨假真。道猶未了　平章狀元早到。〔外、生幞頭袍笏同上介〕

第五十五齣　圓駕

【前腔】〔外〕有恨妝排，無明躭帶，真奇怪。〔生〕啞謎難猜，今上親裁劃。

岳丈大人拜揖。〔外〕誰是你岳丈！〔生〕平章老先生拜揖。〔外〕誰和你平章！〔生笑介〕古詩：梅雪争春未肯降，騷人閣筆費平章。今日夢梅争辯之時，少不的要老平章閣筆。〔外〕你罪人咬文哩。〔生〕小生何罪？老平章是罪人！〔外〕俺有平李全大功，當得何罪？〔生〕朝廷不知，你那裏平的個李全？則平的個李半。〔外〕怎生止平的個李半？〔生笑介〕你則哄的個楊媽媽退兵，怎哄的全？〔外惱作扯生介〕誰説？和你官裏講去。〔末作慌出見介〕午門之外，誰敢諠譁。〔見介〕原來是杜老先生，這是新狀元，放手，放手。〔外放生介〕〔末〕狀元何事激惱了老平章。〔外〕他駡俺罪人，俺得何罪？〔生〕你説無罪，便是處分令愛一事，也有三大罪。〔外〕那三罪？〔生〕太守縱女遊春，一罪。〔外〕是了。〔生〕女死不奔喪，私建菴觀，二罪。〔外〕罷了。〔生〕嫌貧逐壻，刁打欽賜狀元，可不三大罪？〔末笑介〕狀元以前也罪過些，看下官面分，和了罷。〔生〕黄門大人，與學生有何面分？〔末笑介〕狀元不知，尊夫人請俺上學來。〔生〕敢是鬼請先生？〔末〕狀元忘舊了。〔生認介〕老黄門可是南安陳齋長。〔末〕惶恐，惶恐。〔生〕呀，先生，俺於你分上不薄，如何妄報俺爲賊？做門館報事不真，則怕做了黄門，也奏事不以實。〔末笑介〕今日奏事實了。遠望尊夫人將到，二公先行叩頭禮。〔内唱禮介〕奏事官齊班。〔外、生同進叩頭介〕〔外〕臣杜寶見。〔生〕臣柳夢梅見。〔末〕平身。〔外、生立左右介〕〔旦上〕麗娘本是泉下女，重瞻天日向丹墀。

北【黄鐘醉花陰】平鋪着金殿琉璃翠鴛瓦，響鳴梢半天兒刮刺。〔净、丑喝介〕甚的婦人衝上御道，拿了！〔旦驚介〕似這般猙獰漢叫喳喳，在閻浮殿見了些青面獠牙，也不似

第五十五齣　圓　駕

今番怕。〔末〕前面來的，是女學生杜小姐麼？〔旦〕來的黃門官，像陳教授。叫他一聲：陳師父，陳師父。〔末應介〕是也。〔旦〕陳師父喜哩。〔末〕學生，你做鬼，怕不驚駕？〔旦〕噤聲！再休提探花鬼，喬作衙，則說狀元妻來面駕。

〔净丑下〕〔内〕奏事人揚塵舞蹈。〔旦作舞蹈呼「萬歲萬歲」介〕〔内〕平身。〔旦起〕〔内〕聽旨：杜麗娘是真是假，就着伊父杜寶，狀元柳夢梅出班識認。〔生覷旦作悲介〕俺的麗娘妻也。〔外覷旦作惱介〕鬼乜些，真個一模二樣，大膽，大膽。〔作回身跪奏介〕臣杜寶謹奏：臣女亡已三年，此女酷似，此必花妖狐媚，假託而成。俺王聽啓：

南【畫眉序】臣女没年多，道理陰陽豈重活？願俺王向金階一打，立見妖魔。

〔生作泣〕好狠心的父親！〔跪奏介〕他做五雷般嚴父的規模，則待要一下裏把聲名煞抹。〔起介〕〔合〕便閻羅包老難彈破，除取旨前來撒和。

〔内〕聽旨：朕聞人行有影，鬼形怕鏡。定時臺上，有秦朝照膽鏡。黃門官，可同杜麗娘照鏡。看花陰之下，有無蹤影，回奏。〔末應同旦對鏡介〕女學生是人？是鬼？

北【喜遷鶯】〔旦〕人和鬼，教怎生酬答？形和影現托着面菱花。〔末〕鏡無改面，委係人身；再向花街取影而奏。〔行看影介〕〔旦〕波查，花陰這答，一般兒蓮步迴鸞印淺沙。〔末奏介〕杜麗娘有蹤有影，的係人身。〔内〕聽旨：麗娘既係人身，可將前亡後化事情奏上。〔旦〕萬歲，臣妾二八年華，自畫春容一幅。曾于柳外梅邊，夢見這生。妾因感病而亡，葬于後園梅樹之下。後來果有這生姓名柳夢梅，拾取春容，朝夕掛念。臣妾因此出現成親。〔悲介〕哎喲，**悽惶煞，這底是前亡後化，抵多少陰錯陽差。**

〔内〕聽旨：柳狀元質證，麗娘所言真假，因何預名夢梅？〔生打躬呼「萬歲」介〕

南【畫眉序】臣南海乏①絲蘿，夢向嬌姿折梅萼。果登程取試，養病南柯。因借居南安府紅梅院中，遊其後苑，拾得麗娘春容，因而感此真魂，成其人道。〔外介〕此人欺誑陛下，兼且點污臣之女也。論臣女呵，**便死葬向水口廉貞，肯和生人做山頭撮合。**〔合〕**便閻羅包老難彈破，除取旨前來撒和。**

〔内〕聽旨：朕聞有云：「不待父母之命，媒妁之言，則國人父母皆賤之。」杜麗娘自媒自婚，有何主見？〔旦泣介〕萬歲，臣妾受了柳夢梅再活之恩，

北【出隊子】真乃是無媒而嫁？〔外〕誰保親？〔旦〕**保親的是母喪門；**〔外〕送親的？〔旦〕**送親的是女夜叉。**〔外〕這等胡爲？〔生〕這是陰陽配合正理。〔外〕正理，正理，花你那蠻兒一點紅嘴哩。〔生〕老平章，你罵俺嶺南人喫檳榔，其實柳夢梅唇紅齒白。〔旦〕噤聲！眼前活立着個女孩兒，親爺不認。到做鬼三年，有個柳夢梅認親。**則你這辣生生回陽附子較争些，爲甚麽翠呆呆下氣的檳榔俊煞了他？**爺，你不認呵，有娘在。〔指鬼門〕**現放着實丕丕貝母開談親阿媽。**

〔老旦上〕多早晚女兒還在面駕，老身踹入正陽門叫冤去也。〔進見跪伏介〕萬歲爺，杜平章妻一品夫人甄氏見駕。〔外末驚介〕〔外〕那裏來的？真個是俺夫人哩。〔跪介〕臣杜寶啓：臣妻已死揚州亂賊之手，臣已奏請恩旨褒封。此必妖鬼捏作母子一路，白日欺天。〔起介〕〔生〕這個婆婆，是不曾認的他。〔內〕聽旨：甄氏既死于賊手，何得臨安母子同居？〔老旦〕萬歲。〔起介〕

南【滴溜子】〔老旦〕揚州路，揚州路，遭兵刼奪。只得向，只得向，長安住託。不想到錢塘夜過，黑撞着麗娘兒魂似脱。少不的子母肝腸，死同生活。

〔內〕聽甄氏所奏，其女重生無疑。則他陰司三載，多有因果之事。假如前輩做君王臣宰不臻的，可有的發付他？從直奏來。〔旦〕這話不提罷了，提起都有。〔末〕女學生，子不語怪。比如陽世府部州縣，尚然磨刷卷宗，他那裏有甚會案處？

北【刮地風】〔旦〕呀，那陰司一樁樁文簿查，使不着你猾律拿喳。是君王有半副迎魂駕，臣和宰玉鎖金枷。〔末〕女學生，没對證。似這般説，秦檜老太師在陰司裏可受用？〔旦〕也知道些，説他的受用呵，那秦太師他一進門，忒楞楞的黑心揌敢搗了千下，淅另另的紫筋肝剁作三花。〔衆驚介〕爲甚剁作三花？〔旦〕道他一花兒爲大宋，一花爲金朝，一花兒爲長舌妻。〔末〕這等，長舌夫人有何受用？〔旦〕若説秦夫人的受用，一到了陰司，撏去了鳳冠霞帔，赤體精光，跳出個牛頭夜叉，只一對七八寸長指彄兒，輕輕的把那撇道兒揢，長舌揸。〔末〕爲甚？〔旦〕聽的是東窗事發。〔外〕鬼話也！且問你鬼乜邪，人間私奔，自有條法，陰司可有？〔旦〕有的是柳夢梅七十條，爹爹發落過了，女兒陰司收贖。桃條打，罪名加，做尊官勾管了簾下。則道是没真場風流罪過些，有甚麽饒不過這嬌滴滴的女孩家。

〔内〕聽旨：朕細聽杜麗娘所奏，重生無疑。就着黄門官押送午門外，父子夫妻相認，歸第成親。〔衆呼萬歲，行介〕〔老旦〕恭喜相公高轉了。〔外〕怎想夫人無恙！〔旦哭介〕我的爹呵！〔外不理介〕青天白日，小鬼頭遠些，遠些。陳先生，如今連柳夢梅俺也疑將起來，則怕也是個鬼。〔末笑介〕是踢斗鬼。〔老旦喜介〕今日見了狀元女壻，女兒再生，二十分喜也。狀元，先認了你丈母罷。〔生揖介〕丈母光臨，做女壻的有失迎待，罪之重也！〔旦〕官人，恭喜！賀喜！〔生〕誰報你來？〔旦〕到得陳師父傳旨來。〔生〕受你老子的氣也。〔末〕狀元，認了丈人翁罷。〔生〕則認的十地閻君爲岳丈。〔末〕狀元，聽俺分勸一言：

南【滴滴金】你夫妻趕着了輪迴磨，便君王使的個隨風柁，那平章怕不做賠錢貨。〔生〕老黄門，俺是個賊犯。〔末笑介〕你得便宜人偏會到不如娘共女，翁和壻，明交割。不争多、先偷了地窟裏花枝朵。撒科，則道你偷天把桂影那。

〔旦歎介〕陳師父，你不教俺後花園遊去，怎看上這攀桂客來？〔外〕鬼乜邪，怕没門當户對，看上柳夢梅什麽來？

北【四門子】〔旦笑介〕是看上他帶烏紗象簡朝衣掛，笑笑笑，笑的來眼媚花。爹娘，人家白日裏高結綵樓，招不出個官壻。你女兒睡夢裏，鬼窟裏，選着個狀元郎，還説門當户對！則你個杜杜陵慣把女孩兒嚇，那柳柳州他可也門户風華。爹，認了女孩兒罷。〔外〕離異了柳夢梅，回去認你。〔旦〕叫俺回杜家，赸了柳衙，便作你杜鵑花也叫不轉子規紅淚灑。

〔哭介〕哎喲，見了俺前生的爹，即世嬷，顛不剌悄魂靈立化。〔旦作悶倒介〕〔外驚介〕俺的麗娘兒。〔末作望介〕怎那老道姑來也。連春香也活在。好笑，好笑，我在賊營裏瞧甚來？〔净扮道姑同貼上〕

南【鮑老催】官前定奪，官前定奪。〔打望介〕原來一衆官員在此，怎的起狀元、小姐嘴骨都站一邊。眼見他喬公案斷的錯，聽了那喬教學的嘴兒嗑。〔末〕春香賢弟也來了，這姑姑是賊。〔净〕啐！陳教化，誰是賊？你報老夫人死哩，春香死哩。做的個，紙棺材，舌鍬撥。〔向生介〕柳相公喜也。〔生〕姑姑喜也。這丫頭，那裏見俺來？〔貼〕你和小姐牡丹亭做夢時有俺在。〔生〕好活人活證。〔净貼〕鬼團圓不想到真和合，鬼揶揄不想做人生活。老相公，你便是鬼三台費評跋。〔净貼並下〕

〔末〕朝門之下，人欽鬼伏之所，誰敢不從！少不得小姐勸狀元認了平章，成其大事。〔旦作笑勸生介〕柳郎，拜了丈人罷。〔生不伏介〕

北【水仙子】〔旦〕呀呀呀，你好差。〔扯生手，按生肩介〕好好好，點着你玉帶腰身把玉手叉。〔生〕幾百個桃條。〔旦〕拜拜拜，拜荆條曾下馬。〔外扯介〕〔旦〕扯扯扯，做太山倒了架。

〔指生介〕他他他，點黃錢聘了咱。俺俺俺，逗寒食喫了他茶。〔指末介〕你你你，待求官報信則把口皮喳。〔指生介〕是是是，是他開棺見槨湔除罷。〔指外介〕爹爹爹，你可也罵勾了咱這鬼乜邪。

〔丑扮韓子才冠帶捧詔上〕聖旨已到，跪聽宣讀：據奏奇異，勑賜團圓。平章杜寶，進階一品；妻甄氏，封淮陰郡夫人。狀元柳夢梅，除授翰林院學士；妻杜麗娘，封陽和縣君。就着鴻臚官韓子才送歸宅院。叩頭謝恩！〔丑見介〕狀元，恭喜了。〔生〕呀，是韓子才兄，何以得此？〔丑〕自別了尊兄，蒙本府起送先儒之後，到京考中鴻臚之職，故此相會。〔生〕一發奇異了。〔末〕原來韓老先，也是舊朋友。〔行介〕

南【雙聲子】〔衆〕姻緣詫，姻緣詫，陰人夢黃泉下。福分大，福分大，周堂内是這朝門下。齊見駕，齊見駕。真喜洽，真喜洽。領陽間誥勑，去陰司銷假。

北【尾】② 〔生〕從今後把牡丹亭夢影雙描畫，〔旦〕虧殺你南枝挨煖俺北枝花，則普天下做鬼的有情誰似咱？

杜陵寒食草青青，韋應物　羯鼓聲高衆樂停。李商隱
更恨香魂不相遇，鄭瓊羅　春腸遥斷牡丹亭。白居易
千愁萬恨過花時，僧無則　人去人來酒一巵。元　稹

唱盡新詞懽不見，劉禹錫　數聲啼鳥上花枝。韋莊

【校】

①乏，原誤作「泛」，據朱墨本改。　②北【尾】，格正題作【隨喜團圓煞】。

圖書在版編目（CIP）數據

牡丹亭 / 湯顯祖著. 仲夏夜之夢 /（英）莎士比亞著；朱生豪譯 .—重慶：
重慶大學出版社，2016.8
ISBN 978-7-5689-0016-4

Ⅰ.①牡… ②仲… Ⅱ.①湯… ②莎… ③朱… Ⅲ.①傳奇劇（戲曲）-劇本-中國-明代 ②喜劇-劇本-英國-中世紀 Ⅵ.① I237.2 ② I561.33

中國版本圖書館 CIP 數據核字（2016）第 168718 號

牡丹亭
mudanting
[明] 汤显祖 著
徐朔方 笺校
本書由上海古籍出版社授權使用

特約編輯： 趙　軒　**産品策劃：** 王建琪
責任編輯： 王思楠　**營銷編輯：** 劉蕓倩
裝幀設計： 索　迪　**責任校對：** 鄔小梅

重慶大學出版社出版發行
出版人： 易樹平
社　址： 重慶市沙坪壩區大學城西路 21 號　郵編：401331
網　址： www.cqup.com.cn
印　刷： 北京雅昌藝術印刷有限公司
開　本： 787mm × 1092mm　1/32　**印　張：** 8
字　數： 114 千　**圖　片：** 35 幅
版　次： 2016 年 8 月第 1 版
印　次： 2016 年 8 月第 1 次印刷
書　號： 978-7-5689-0016-4
定　價： 598.00 元（全兩册）